t

Kirsten Boie

Lisas Geschichte, Jasims Geschichte

Verlag
Friedrich Oetinger
Hamburg

© Verlag Friedrich Oetinger, Hamburg 1989
Alle Rechte vorbehalten
Schutzumschlag von Jutta Bauer
Gesamtherstellung Clausen & Bosse, Leck
Printed in Germany 1990
ISBN 3-7891-1888-5

Jasim

Es heißt, man soll sich nicht umdrehen, wenn man geht.

Jasims Hände waren feucht. Er spürte den Griff der Reisetasche, schwer und fremd, und obwohl es ihm fast das Herz brach, sah er nicht zurück. Obwohl es ihm fast das Herz brach, dachte er an das, was vor ihm lag, und zwang sich zur Hoffnung.

Lisa

Hallo, Du alter, blöder Knuddelmaik!

Was für eine Art, das neue Jahr anzufangen! Damit ich mich nicht totheule, habe ich mich hier gleich auf meinen Kuschelteppich gesetzt und schreibe an Dich. (Weißt Du noch, mein Kuschelteppich?) Möbel stehen noch keine. Nicht daß Du denkst, ich könnte mich an meinen Schreibtisch setzen, wenn ich wollte. Will ich aber auch nicht!

Wir sind heute nachmittag angekommen, Dad war mit den Möbelleuten schon vorher da, Du kannst Dir vielleicht vorstellen, wie es hier aussieht! Möbel überall, und natürlich überall verkehrt, das Klavier auf dem Flur (hier darf es plötzlich wieder ins Wohnzimmer, weil es schwarz ist, und Mom will das ganze Wohnzimmer nur in Schwarzweiß, ausschließlich, stell Dir vor!), meine Sitzecke in Theos Zimmer, dafür Moms abgebeizte Küchenanrichte mit den gehäkelten Scheibengardinen bei mir drin. Und so weiter.

Dad steht mit den Möbelleuten irgendwo dazwischen und trinkt Bier, und Mom macht dieses verzweifelte O-mein-Gott-muß-er-sich-schon-wieder-mit-solchen-Leuten-einlassen-Gesicht. Meinetwegen soll er sich einlassen, mit wem er will, aber wenn er noch zwei Flaschen mit denen trinkt, erklären sie ihm bestimmt, daß sie nun los müssen, und er sagt, kein Problem, die paar Kleinigkeiten, die noch nicht in den richtigen Räumen sind, schafft er auch alleine. Ich kenne doch Dad.

Wo Theo sein könnte, habe ich keine Ahnung, aber wahrscheinlich baut er gerade seine Anlage auf. Hast Du mitgekriegt, daß er jetzt voll auf Barock steht? *Barock,* ich bitte Dich! Auch nicht mit Synthesizer oder so, sondern echt das alte Zeugs mit Orgel und Oboen und Cembalo. Das ist mein Bruder, wie er leibt und lebt, ich sag's Dir.

Das Haus ist natürlich Spitze, das war ja schon bei der Besichtigung klar. Aber da hatten sie überall noch diese Uralt-Tapeten mit Gold und Blümchen, und dann noch schief geklebt. Jetzt sieht es alles total gut aus, Mom hat eben ein wahnsinniges Gefühl für Farben. Wenn erst die Möbel stehen, wird es hier bestimmt übergut, irgendwie schon echt upperclass (ja wenn! Die Möbelleute trinken immer noch). Ich hab ja gesagt, daß ich sowieso auf alte Häuser stehe, mit diesen hohen Räumen und Stuck und all dem Kram. Wir können uns freuen, daß die Firma Dad wenigstens die Villa beschafft hat, wenn sie ihn schon in diese Riesenstadt versetzen mußten.

Ach, Maik, fühlst Du Dich auch so mies, jetzt, wo ich weg bin? Natürlich ist ein halbes Jahr nicht so fürchterlich lang, da hast Du ja recht, und dann kommst Du und nimmst Dir ein Zimmer in der Nähe und suchst Dir einen Ausbildungsplatz. Also, ich muß mir immer wieder sagen, nur ein halbes Jahr, dann ist Maik auch hier. Das laß ich mir auch nicht ausreden. Weil es nämlich zur Zeit das einzige ist, was mich tröstet, wenn ich an diese Stadt denke und all die neuen Leute und die neue Schule – Hilfe! An die Schule will ich gar nicht denken. Das ist das einzig Gute an diesem Umzug, daß wir wenigstens in den Ferien hier angekommen sind.

Lieber alter Maik, ich streichle Dich ganz zärtlich (Du weißt schon!) und gebe Dir tausend Küsse von der Stirn bis zu den Zehenspitzen. Vergiß nicht, daß wir versprochen haben, jeden Abend um zehn ganz fest aneinander zu denken!

Ich liebe Dich. Lisa

PS. Das Geschenk habe ich natürlich gleich im Auto aus-gepackt. Ich hatte so gehofft, daß es der Anhänger sein würde, den ich Dir gezeigt hatte, und dann war er es tat-sächlich! Ich werde ihn jeden Tag tragen, das schwöre ich. Auf der Fahrt hab ich ihn die ganze Zeit in der Hand gehabt.

Noch tausend Küsse, Lisa

Lisa
an
Kathrin
4. Januar

Liebe Trinki,

nur ganz schnell (weil ich nämlich noch irrwitzig viel tun muß, mein Zimmer sieht aus wie ein Müllhaufen): Heute morgen war Dad auf der Post, um zu gucken, ob schon was für uns postlagernd da wäre, und da war tatsächlich diese schnuckelige Karte von Dir mit »Viel Glück im neuen Heim« und all dem. Ich hab mich tierisch gefreut, ehrlich! Obwohl, mit »viel Glück« ist bisher noch nicht so viel los, wenn unser Haus auch eine echte alte Villa ist mit riesigen Bäumen und großem Garten etc. (Miete zahlt Dads Firma), und nicht so ein wurmstichiger Apfel wie die Behausung auf Deiner Karte. Zum Glück.

Also, das Haus ist schon toll, aber wie das sonst hier alles werden soll??? Du hast gut reden, daß es in so einer gro-ßen Stadt bestimmt tausend Diskos gibt und Cafés und tolle Klamottenläden, nicht bloß einen lahmen Benetton-

Shop. Kann ja alles sein, daß Großstädte besser sind, aber wenn man keinen Menschen kennt?

Mom und Theo hatten heute morgen schon gleich ihren ersten Krach, Du weißt ja, wie das bei den beiden immer so geht. Mom hatte die ganze Nacht noch geräumt, und heute morgen um sechs stand sie also ganz verzückt in der Tür zu unserem neuen, riesigen Wohnzimmer und starrte von einem Möbelstück zum anderen. Es war eben Pech, daß Theo da auch schon hoch war und sich aus der Küche seinen Morgenimbiß in sein Zimmer holen wollte. Und Mom lernt ja auch nie dazu. Sie strahlte ihn also so ganz glücklich an und sagte: »Ich bin letzte Nacht noch fertig geworden! Theo, was sagst du dazu?«

Theo war natürlich noch ziemlich verschlafen, so mit verstruwwelten Haaren und zerknautschtem Schlafanzug und allem, Du weißt ja, wie das ist. Schließlich hast Du schon bei uns geschlafen. (Du, Trinki, aber Du besuchst mich doch mal?)

»Was?« fragte Theo und gähnte.

»Das Wohnzimmer!« sagte Mom. »Ob es dir gefällt!«

Und dann Theo. Erst mal die Augen gerieben und sich gereckt und noch mal gegähnt, und dann geht er so ganz langsam an Mom vorbei ins Zimmer und guckt sich um. So richtig in Zeitlupe.

Und dann guckt er Mom an und schüttelt den Kopf.

»Kahl«, sagt er.

Na, Du kannst Dir denken, wie sauer Mom war. Von ihrem neuen Wohnzimmer hatte sie die ganzen Wochen geträumt, alles nur in Schwarzweiß, bis auf den Teppich und die Seidenkissen, da ist so ein irres Tomatenrot drin, und die Grafiken an den Wänden. Die sind auch schwarzweißrot.

»Ich find's öde«, sagte Theo.

»Mein Gott!« sagte Mom. »Das ist ein Zimmer – das ist schon kein Zimmer mehr, das ist schon fast ein Kunstwerk!«

Was übrigens stimmt, finde ich. Mom ist echt fantastisch in solchen Sachen, schließlich wollte sie ja früher mal auf die Kunsthochschule.

»Kann sein«, sagte Theo und guckte noch mal und gähnte noch mal, »aber was machst du, wenn dir mal jemand gelbe Blumen schenkt? Sprühst du die erst rot mit Lack, bevor du sie auf den Tisch stellst, oder was?«

Da war es natürlich passiert. Mom ist total ausgerastet, kein Wunder nach dem Streß der letzten Zeit, und Theo ist ganz langsam und gelangweilt die Treppe hoch verschwunden. Aber ich muß jetzt ihre stinkige Laune die ganze Zeit ertragen. Dank bloß Deinem Schöpfer, daß Du keinen älteren Bruder hast.

(Übrigens war seine Überlegung ja gar nicht so blöd, oder? Deshalb konnten sie natürlich auch keine neuen Bücherregale fürs Wohnzimmer anschaffen, nachdem sie die alten Kiefernholzdinger zum Sperrmüll gegeben haben. Die Buchrücken wären ja auch bunt gewesen! Aber um die alten Regale tut es mir immer noch leid. Die haben wir gehabt, seit ich ganz winzig war, und irgendwie gehören die zu unserem Leben dazu, kannst Du das verstehen? Mom meint natürlich, das ist sentimental, der Einrichtungsstil müsse sich schon mit der Persönlichkeit verändern, und Dad und sie hätten sich seit ihrer Kiefernholzphase nun wirklich enorm entwickelt. Kann ja alles sein, aber ich find's trotzdem schade –)

Also, Trinki, das sollte ein ganz kurzer Brief werden, und nun sind es doch schon vier Seiten. Das mit der Karte war lieb von Dir, Ihr fehlt mir alle fürchterlich. Grüß Thorsten von mir und unsere ganze Clique, und natürlich Du weißt schon wen!

Deine Lisa

PS. Du mußt unbedingt Thorsten noch mal von mir ausrichten, wie toll ich es fand, daß er bei sich diese Abschiedsfete für mich organisiert hat, obwohl er schließlich Dein Freund ist und nicht meiner. Ich glaube, alle fanden es spitzenmäßig, jedenfalls hat Christina so was gesagt. Ich hab hinterher die ganze Nacht geheult! Ehrlich! L.

Ach Mensch, Maik, Du alte schnuckelige Obernuß! **Lisa**
Ich hab mich halbtot gefreut, als heute morgen dieser **an Maik**
klitzekleine Brief von Dir im Kasten steckte! Natürlich *6. Januar*
weiß ich, daß Du nicht so gerne schreibst, deshalb finde
ich es ja auch so süß, daß Du es trotzdem schon getan
hast! Wie lang der Brief ist, ist doch total egal.
Klar ist es trostlos, in den Ferien Mathe zu pauken, aber
glaub mir, der Mathetyp ist so was von fies, leg Dich mit
dem nicht an, der sägt Dich ab. Der ist da absolut cool,
sag ich Dir.
Wenn ich das dann lese, bin ich natürlich doppelt froh,
daß ich hier immer noch nicht zur Schule muß. Gestern
war ich zum ersten Mal los, Stadt angucken.
Ganz ehrlich: *So* toll finde ich es in der Großstadt nun
auch wieder nicht! Weißt Du noch, wie wir immer gejammert haben, wie öde es in F. war, nur diese paar Läden, in
denen man wirklich Klamotten kaufen konnte, die man
hinterher nicht am liebsten gleich der Oma vererbt hätte,

und daß im Kino die Filme immer erst ankamen, kurz bevor das Zelluloid vor Altersschwäche bröselte? Und daß man dreißig Kilometer fahren mußte, wenn man mal mitten in der Woche Lust auf Tanzen hatte, weil sie die Klapperdisko im Gemeindehaus immer nur am Samstag angeschmissen haben?

Also, halt Dich fest, so sehr viel anders ist es hier auch nicht. Willst Du wissen, wie lange ich gebraucht habe, bis ich in der Innenstadt war, wo es dann natürlich tatsächlich alles gibt, was man sich nur so vorstellen kann? Eine Stunde! Sogar fünf Minuten länger. Um da hinzukommen, muß ich nämlich erst mal zehn Minuten bis zur Bushaltestelle laufen und dann eine Viertelstunde mit dem Bus bis zum U-Bahnhof fahren, und dann noch zwanzig Minuten mit der Bahn. Also, *so* toll finde ich das auch nicht!

Und wenn ich mir mal ganz schnell ein Sweatshirt kaufen will, noch für denselben Abend – no, Sir, ist nicht! (Mom sagt natürlich, das wird alles besser, wenn die Schule erst mal anfängt und ich meine Freundinnen habe. Die geben mir dann Tips und so, na ja, Du weißt schon, wie Mütter reden. Mir ist es aber ganz recht, daß die Schule noch nicht angefangen hat!)

Theo ist natürlich schon heiß dabei, sich einzuleben. Dabei war er derjenige, der am meisten gegen den Umzug protestiert hat! Er war es ja schließlich, der sich in F. ein Zimmer nehmen und sein Abitur da machen wollte. Und jetzt sitzt er hier schon wieder im Schneidersitz vor dem Telefon und blättert im Telefonbuch nach Dritte-Welt-Läden in unserer Nähe und solchem Zeugs. Ehrlich! Dieser Müsli! Wie so was mein Bruder sein kann, ist mir schleierhaft. Als ich noch jünger war, hab ich ja immer geglaubt, einer von uns ist vertauscht und gar nicht das richtige Kind von Mom und Dad, am liebsten ich. Aber inzwischen kann ich mir nichts mehr darüber vorlügen, daß wir hundertprozentig die gleichen Augenbrauen haben und auch beide diese komisch gerade Nase. Jetzt glaube ich, wir sind so verschieden, weil wir einfach so unterschiedlich erzogen worden sind, weißt Du. Als Theo klein war, war doch gerade die Zeit mit diesen antiautoritären Kinderläden, da durften sie nackt rumlaufen und mit ihren Geschlechtsteilen spielen, und gezwungen wurde keiner zu gar nichts. Da hat Theo eben eine glückliche Kindergartenzeit gehabt!

Aber als ich geboren wurde, da war es vorbei mit antiautoritär, da hatten sie gerade mit diesem Sesamstraßentrip und vorschulischer Intelligenzförderung angefangen, und also bin ich in einen Kindergarten gekommen, da durfte man *nicht* nackt rumlaufen und *auf keinen Fall* mit seinen Geschlechtsteilen spielen, aber dafür ist meine Intelligenz ganz tierisch gefördert worden. Eigentlich nur komisch, daß trotzdem Theo das schlaue Kind bei uns ist, und ich bin das blöde. Da hätte ich doch wenigstens die paar Jahre vor der Schule noch meinen Spaß haben können.

Theo sagt übrigens, es ist ein Glück, daß Mom und Dad nicht noch ein drittes Kind gekriegt haben. Er sagt, wer weiß, wie zu dem Zeitpunkt die Kindergartenmode gewesen wäre, nachher hätten sie da von den Kindern verlangt, täglich zwanzig Minuten zu Marschmusik im Kreis zu laufen, weil das die Durchblutung fördert und auf diesem Umweg die Persönlichkeit stärkt, und da hätten Mom und Dad ihr armes Kind dann hundertprozentig auch hingeschickt.

Ich begreif nicht, wieso Theo immer solchen Mist sagen muß! Ich begreif das einfach nicht. Vor allem weil ich finde, daß in dieser Familie keine zwei Menschen aufzutreiben sind, die sich ähnlicher wären als gerade Theo und Dad. In allem.

Also wenn Du mich fragst, haben sie uns in so verschiedene Kindergärten gegeben, weil sie sich selbst in der Zwischenzeit schließlich auch verändert hatten. Vier Jahre! Das macht doch schon was aus. Bei Theos Geburt damals hat Dad noch studiert, er kriegt immer noch rollende Augen, wenn er davon erzählt, der Arme. Das waren eben seine wilden Jahre. Auf Theos Babyfotos sind die Poster im Hintergrund zu erkennen mit diesem stark aussehenden vollbärtigen Südamerikaner drauf, Du weißt schon, wen ich meine, oder Rosa Luxemburg. Die hat Dad ja in F. auch immer noch in seinem Handwerkskeller an der Wand gehabt. Aber damals bei Theo eben noch im Wohnzimmer! Daran sieht man ja schon.

Na ja, als ich dann gekommen bin, da war das einfach eine andere Zeit, Dad hatte seinen ersten Job, und Mom hat so ein bißchen versucht zu studieren – eben alles anders. Das ist doch auch normal, oder? Nur Theo, der will den Leuten verbieten, sich zu verändern. So ist der, doch, Du, ehrlich! Läuft ja auch immer noch mit diesen langen Haaren rum, wo kein Mensch das mehr trägt. Manchmal glaub ich echt, der ist angeknackst. Vielleicht war das viele Nacktspielen einfach zuviel für ihn.

Ach, sorry, Maik, das war unsere ganze Familiengeschichte! Aber Du bist eben der einzige, mit dem ich – ach, mir ist das alles so über! Und Du bist so weit weg!

Die letzten Abende hab ich mich um zehn immer auf meinen Kuschelteppich gesetzt und aus dem Fenster geguckt. Sterne sieht man hier natürlich nicht, aber ich stell sie mir vor, wenn ich an Dich denke. Ich laß dabei diese uralte Beatlesplatte laufen, »Yesterday«. Dann muß ich jedesmal heulen.

Maik, Maik, Maik, es ist so beschissen ohne Dich! Ein halbes Jahr ist doch schrecklich lang, wir sind jetzt erst vier Tage hier. Schreib bald wieder, auch wenn es nur ein ganz kurzer Brief ist!

In Sehnsucht – Deine Lisa

PS. Gestern in der Stadt habe ich mir eine absolut obergeile Jeans gekauft, so was gibt es in F. nie, nie und niemals! Theo muß ein Foto machen, das schick ich Dir dann. Lisa

PPS. Jetzt fällt mir auch wieder ein, wie dieser bärtige Typ auf Dads altem Poster hieß. Che Guevara. Kennst Du den? L.

Liebe Christina!

Lisa an Christina
13. Januar

Danke schön für Deinen Brief. Das Briefpapier finde ich stark, wo hast Du das gekauft?

Du hast recht, es war nicht die erste Post aus F., von Kathrin hatte ich gleich eine Karte, und Maik hat auch schon geschrieben.

Über Deine Einladung habe ich mich sehr gefreut. Es ist lieb von Deiner Mutter, daß sie sagt, ich könnte bei Euch übernachten, wenn ich mal nach F. zu Besuch komme. Ich mach das auch bestimmt, vielleicht in den Osterferien.

Apropos Ferien: Hier fängt morgen die Schule an, und mir graut schon ganz fürchterlich. Drück mir die Daumen!

Herzliche Grüße, auch an Deine Eltern,

Deine Lisa

PS. Wie klappt es denn jetzt so mit Basti? Bleib bloß dran, Tina, auf die Dauer schaffen wir sie alle!

PPS. Von Maik habe ich seit einer Woche nichts mehr gehört. Es wird aber ja wohl alles in Ordnung sein.

Jasim

Dies also war das gepriesene Land.

Sie hatten seine Papiere geprüft. Sie hatten ihn Formulare ausfüllen lassen, unterschreiben.

Dann hatten sie ihn in ein Haus gebracht zwischen Rasenflächen und Bäumen. Die neue Heimat! hatte Jasim gedacht. Meine neue Heimat im Regen. Einen Augenblick lang hatte er sein Herz gespürt, fast etwas wie Glück.

Ein Mann hatte ihn einen Gang entlanggeführt, eine Treppe hoch und noch einen Gang. Es war laut gewesen. Überall Stimmen, Menschen, dunkle Menschen vor allem. Auf den Gängen, in den offenen Türen.

Der Mann hatte ihm eine Küche gezeigt, sicherlich zehn Herde, aber es waren dreihundert Menschen. Er hatte ihm seinen Waschraum gezeigt: keine Dusche, kein Bad.

Er hatte ihn in sein Zimmer geführt: vier Betten, vier Spinde, ein Tisch und ein Stuhl.

Ein Mensch muß seine Würde bewahren.

Dies also war das gepriesene Land.

Ein Mensch muß seine Würde bewahren.

Lisa

Liebes altes Knuddelmonster!
Ich hätte fast geheult, als ich heute nach Hause gekommen bin und auf meinem Schreibtisch lag Deine Karte. Ich hatte nämlich so auf Post von Dir gewartet!
Was soll denn der Blödsinn, Du fühlst Dich unter Druck gesetzt, wenn meine Briefe so lang sind? Das bedeutet doch nicht, daß Du auch so lange Briefe schreiben sollst! Bei mir gibt's ja so viel Neues und bei Dir nicht, und dann finde ich es auch ganz gut, wenn Du schon ein bißchen über alles hier Bescheid weißt, damit Du Dich auskennst, wenn Du im Herbst herziehst. (Jetzt sind von den sechsundzwanzig Wochen schon zehn Tage rum!)
Heute war ja nun der große Tag, erster Schultag, und ich konnte Deine Karte als Trost echt gut gebrauchen! Vielleicht wäre es klüger, wenn im Herbst nicht Du zu uns zögest, sondern ich wieder zurück nach F. Die Schule hier ist jedenfalls total daneben.
Mom sagt natürlich, das sind alles Vorurteile, und nach einem Tag kann man noch gar nichts sagen, aber sie hat ja immer und für alles ihre weisen Sprüche drauf. Ich glaube, es interessiert sie auch gar nicht so fürchterlich, weil sie zur Zeit gerade nach Vorhangstoff fürs Eßzimmer sucht, und sie kennt einfach noch nicht die richtigen Geschäfte. Deswegen ist sie ziemlich genervt.
Also, die Schule. Ich bin da heute morgen hin, natürlich mit dem Bus. Ich hatte diese neuen Jeans an, von denen ich Dir geschrieben habe, und dann hatte ich mir noch ein Sweatshirt dazu gekauft, genau Ton in Ton. Ich war total durchgestylt, Du! Aber fand ich auch wichtig, schließlich

ist der erste Eindruck entscheidend, und ich hatte einen irrwitzigen Horror davor, daß diese ganzen Großstadtgestalten mich anstarren würden, sich am Kopf kratzen und fragen: *Woher* kommst Du? Aus F.? Nie gehört! Haben die da schon fließend Wasser?

Blöd, oder? Aber irgendwie denkt man doch immer, in der Großstadt sind sie weiter, so ganz cool und mit irren Klamotten. Ist aber nicht, Schatz! Also, diese Klasse – die Mädchen alle ganz lieb, man wartet richtig darauf, daß sie sich Zopfspangen ins Haar tun und anfangen zu flechten. Und die Knaben – richtige Bubis! Das war zu Hause natürlich auch nicht so sehr viel anders, aber hier! Ich mußte nur einen Blick über den Haufen werfen, da wußte ich schon Bescheid. Ich kann mir nicht vorstellen, daß da mit Freundschaften so viel läuft. So wie die schon aussehen!

Die Klassenlehrerin hat mich denen natürlich wärmstens ans Herz gelegt. Das ist so eine Dame, Typ gepflegt-gepflegt, mit Schneiderkostüm und Bluse mit Schleifenkragen, und über allem so ein dezenter Duft von teurem Duschgel. Waldmann heißt sie. Unterrichtet Reli und Latein, da kannst Du sie Dir ja vorstellen. Heute hat sie mich noch ganz in Frieden gelassen, haben sie alle, und daran haben sie recht getan. Ich habe nämlich im Unterricht keine Sekunde aufgepaßt, so genau mußte ich mir die Leute alle angucken. Und jetzt konnte ich Mom nicht mal berichten, ob die irgendwo weiter sind, als wir es in F. waren, und ob ich glaube, ich komme da mit. Das ist natürlich das einzige, was sie interessiert!

Ich konnte ihr nur sagen, daß die Bücher alle anders sind, bis auf Mathe und Latein. Da hat sie geseufzt. Zur Not kriege ich Nachhilfe, sagt sie.

Scheißschule. Theo hat in der Pause natürlich schon wieder mit einem Typen zusammengehockt, der genauso verkorkst aussieht wie er. Die Müslis finden eben immer zueinander. Und Schwierigkeiten hat der bestimmt im Unterricht auch keine, dazu ist er viel zu genial.

Was mir wirklich stinkt, ist die Frau, neben die sie mich gesetzt haben: Elisabeth! Wie das schon klingt! Da denkt man sich sein Teil. Jedenfalls ist sie genau wie ihr Name, die langweiligste Maus, die Du je gesehen hast. Alles so ganz ordentlich und schlicht, und die Hefte alle in Umschlägen und die Bücher in Folie. Na, ist ja klar, warum hat eine keinen Nachbarn? Aber ich werd's schon überleben. Schließlich kann mich keiner dazu verpflichten, gleich dicke Freundschaft mit ihr zu schließen. Ich hab auch gleich die saure Gurke abgelehnt, die sie mir in der Pause angeboten hat. Bevor ich mit so einer Gurken esse, lustwandle ich lieber alleine, herzlichen Dank.

Okay, das war's dann für heute. Deine Karte pinne ich mir über den Schreibtisch. Toll, daß Du Marilyn ausgesucht hast, die paßt genau zu meinem Madonna-Poster!

Ich denke immer noch die ganze Zeit an Dich.

Hunderttausend Küsse,
Deine Lisa

Liebe Christina!

Vielen Dank für Deinen zweiten Brief. Doch, ich kann immer gut Post aus F. brauchen, aber ich weiß nicht, ob ich Deine Briefe auch in Zukunft so schnell beantworten kann. In der Schule liegt nämlich doch einiges an, die sind hier in den meisten Fächern tierisch weiter als wir, oder jedenfalls haben sie andere Bücher, also, es ist alles ziemlich blöd. Vielleicht brauche ich sogar Nachhilfe.

Was Du über Basti schreibst, tut mir leid. Deswegen mußt Du aber doch noch lange nicht aufgeben! Du verlierst immer so schnell den Mut! Rede doch mal mit Kathrin, die weiß bestimmt irgendwas. Als das mit mir und Maik zu Anfang nicht laufen wollte, hat sie mir auch geholfen.

Also, schreib mir gerne mal wieder, ich freue mich immer über Post.

Herzliche Grüße, bis zum nächsten Brief,
Deine Lisa

Lisa an Christina
21. Januar

Jasim

Das Zimmer hatte vier Betten.

Zbigniew kam aus Polen. Er lag auf seinem Bett, das Gesicht nach unten.

»Bitte, kann ich meinen Koffer hier abstellen?« fragte Jasim. Er fragte auf englisch, Deutsch konnte er noch nicht.

Vielleicht konnte Zbigniew Deutsch. Englisch jedenfalls sprach er nicht. Er antwortete Jasim nicht, er lag regungslos.

»Der redet nicht«, sagte George. George kam aus Ghana. Über Afrika wußte Jasim wenig. Nun wußte er, daß sie in Ghana auch Englisch sprachen. »Der redet nicht mit Niggern.«

Jasim lachte. Er tat, als ob er lachte. Wie hatte George das gemeint? Jasim mußte etwas nicht verstanden haben.

Der vierte war Fanjit. Er kam aus Sri Lanka. Als Jasim an sein Bett trat, setzte er sich auf und lächelte. Er streckte Jasim die Hand hin.

»Er spricht wenig Englisch«, sagte George. Jasim nickte und lächelte und sah in ein Gesicht, das ihn an zu Hause erinnerte.

»Warum liegen sie auf den Betten?« fragte er George. »Mitten am Tag?«

Da lachte George. »Das wirst du schnell lernen«, sagte er. In seiner Stimme war aber kein Lachen. Jasim konnte nicht erkennen, was in seiner Stimme war.

Lisa

Hey there!
Kannst Du Dich verdammt mal wieder melden, damit ich
weiß, ob Du tot bist, oder was??? Ich trau mich nämlich
auch nicht mehr, Dir Briefe zu schreiben, Du sollst Dich
ja um Himmels willen nicht »unter Druck« fühlen!
Los, mach schon!

> Trotzdem tausend (wütende) Küsse,
> Lisa

**Lisa an
Maik**
24. Januar

Hallo, liebes Tagebuch, oder was schreibt man da? Das
ist doch verrückt, in ein Buch zu schreiben, das kein
Mensch lesen soll. An wen schreibt man denn da?
(»Schreib doch an dich selber«, hat Mom gesagt. »Vielleicht holst du es ja später wieder raus, wenn du mal so alt
bist wie ich.« Weiß ich, ob ich da noch lebe?)
Mom ist heute mit diesem Buch angekommen, stilvoll
wie alles von ihr, nicht so ein kitschiges Plastikding mit
Schummelmessingschloß im Poesiealbumformat, womöglich noch rosa und mit der Aufschrift »Mein Tagebuch«, sondern eins von diesen chinesischen Büchern mit
Seideneinband in so einem hohen, zu schmalen Din A 4-
Format. (Warum schreib ich das? Das Buch weiß das
schließlich selber, und wenn ich es später raushole, seh
ich das auch.)
Jedenfalls kann ich es nicht liegenlassen, ich muß einfach
reinschreiben. So sind Moms Geschenke immer. So
schön, daß man sich ihnen schließlich unterwirft. (Was
für ein Satz! Im Aufsatz würde ich nie so einen schreiben,

**Lisas
Tagebuch**
29. Januar

»schließlich unterwirft«, auch im Brief nicht. Die würden mich ja für nicht mehr ganz echt halten! Schreiben die Leute deshalb Tagebuch? Um all das rauszulassen, wovon sie sonst nicht mal gewußt hätten, daß sie es denken? Wieder so ein Satz!)

Also, jedenfalls: Als ich aus der Schule kam, lag das Buch auf dem Schreibtisch mit einem Zettel von Mom obendrauf: »Weil Du in letzter Zeit so viel schreibst!«

Dabei stimmt das gar nicht. Seit meinem letzten richtigen Brief (an Christina zählt nicht) ist es mehr als eine Woche her. Von Maik seit elf Tagen kein Lebenszeichen. Das macht mich ganz wahnsinnig. Das Leben hier ist beschissen genug, da möchte ich wenigstens wissen, daß in F. immer noch Maik sitzt und an mich denkt. Und in einem halben Jahr zu mir kommt!

Von Trinki seit ihrer ersten Karte natürlich auch kein Wort. Logisch, die ist jede freie Minute bei Thorsten, und wahrscheinlich war mein Antwortbrief auch viel zu wirr. (Was hab ich da bloß geschrieben? Ich kann mich nicht mal mehr erinnern. Und in den ersten Tagen war es hier so chaotisch!)

Aber ganz so schnell *können* sie einen doch einfach nicht vergessen!

Hier pendelt sich langsam alles so ein. Mom ist noch fast jeden Tag unterwegs, um die letzten Sachen für die Innendekoration zusammenzukriegen. Inzwischen kennt sie die richtigen Geschäfte und stöhnt nicht mehr so viel. Höchstens über die Preise.

Dad ist von der Arbeit in dieser Filiale richtig begeistert, natürlich hat sich auch »sein Wirkungskreis erweitert«, also er kann mehr machen. Deshalb sind wir ja überhaupt hergekommen. Theo zieht immer ein Gesicht, wenn Dad

so begeistert von der Arbeit redet, und Dad sagt, er ver-
bittet sich das. Gestern abend sind die beiden wieder total
aneinandergeraten.
So gegen acht klingelte es plötzlich an der Tür, und ein
Mann stand davor, Mitte vierzig, Boss-Pullover (Dad hat
genau den gleichen), Closed-jeans. Nicht übel für so
einen alten Typen.
»Entschuldigen Sie...« sagte er. Dad war an der Tür, und
ich war gerade auf dem Weg zur Küche, deshalb habe ich
alles mitgekriegt. Hier klingelt es ja noch nicht so oft, so
daß ich tatsächlich neugierig war.
»Ja bitte?« fragte Dad. Ein Landstreicher war das jedenfalls nicht, das konnte er auch sehen.
»Kann ich reinkommen?« fragte der Mann. Das muß er
wohl die ganze Zeit vorgehabt haben, ich meine, im Januar, nur mit Pullover im Freien!
»Bitte«, sagte Dad, und die beiden verschwanden im
Wohnzimmer.
Nun hätte ich natürlich in die Küche gehen können, aber
ich wußte Ehrenwort nicht mal mehr, was ich da wollte.
Also lungerte ich im Flur rum.
»Bresewitz«, sagte der Mann. Im Garderobenspiegel
konnte ich sehen, daß Dad auf einen Sessel deutete. Der
Typ setzte sich.
Dann erzählte er, daß er unser Nachbar wäre, »zur Lin-
ken«, sagte er und lachte neckisch, und Dad sagte ganz
schnell, daß wir selbstverständlich noch vorgehabt hät-
ten, uns bei den Nachbarn vorzustellen, kleiner Umtrunk
oder so, aber die erste Zeit nach so einem Umzug, Herr
Bresewitz wisse ja selber...
Herr Bresewitz lachte und sagte, er erinnere sich gut.
Aber ein Bier, sagte Dad, wo man jetzt schon mal so zu-

sammengetroffen wäre, nur ein ganz kleines, null Komma drei, also das könne man dann jetzt doch schon mal zusammen trinken. Auf gute Nachbarschaft.

Herr Bresewitz erklärte, da sage er nicht nein.

Ich sauste ins Eßzimmer und lehnte die Tür zum Flur an, damit Dad mich nicht beim Lauschen ertappen sollte. An der geschlossenen Schiebetür zum Wohnzimmer wartete ich darauf, wie es weitergehen würde.

Wenn Theo jetzt dagewesen wäre, der wäre total ausgerastet. Wahrscheinlich hätte er sich sogar ganz cool zu den beiden ins Wohnzimmer gesetzt und Dad die ganze Zeit einfach nur angestarrt.

Als wir noch in F. waren, hat Dad nämlich immer über unsere zukünftigen Nachbarn gejammert. Das Haus, hat er gesagt, wäre ja ganz in Ordnung, und wenn ihm die Firma eine Villa anbietet, für die er nicht zahlen muß, ist er bestimmt nicht so blöd, nein zu sagen. Aber die Nachbarn! Wer wohnt denn schon in so einer Gegend! Alles total bourgeois, bürgerlich vom Scheitel bis zum Zeh, wahrscheinlich mit Krawatte noch nach Feierabend, einfach aus Prinzip. Und nirgendwo auch mal unorthodoxere Leute, vielleicht sogar ausgeflippte, ach: Da zog er nun in die Stadt seines Studiums zurück und dann ausgerechnet in so einen Vorort, in dem die lebten, die er damals vielleicht nicht bis aufs Blut bekämpfen, aber doch bis an sein Lebensende verachten wollte.

Der Boss-Closed-Typ schien ein Ausnahmenachbar zu sein. Jedenfalls unterhielten die beiden sich ganz locker, der Typ hatte immerhin auch einen Bart, und offensichtlich fanden sie sogar dieselben Sachen komisch. Jedenfalls lachten sie ziemlich viel.

Worüber sie redeten, kriegte ich leider nicht mit. So gün-

stig wie an der offenen Flurtür war mein Standort im Eßzimmer nicht. Nach einer knappen halben Stunde hörte
ich sie aufstehen. Ich schlenderte über den Flur zur Küche.

»War nett, daß wir uns kennengelernt haben«, sagte Dad
an der Haustür. »Und nichts für ungut.«

»Aber woher denn!« sagte Herr Bresewitz jovial und
lachte. »Ich komm noch mal wieder, wenn Sie sich besser
informiert fühlen. Wenn wir sie dann nicht längst raus
haben!«

»Also, Wiedersehen!« sagte Dad, und ich fragte mich,
was der Bresewitz wohl von ihm gewollt hatte und wer wo
raus sollte.

Aber das erfuhr ich schon fünf Minuten später. In der
Küche strich Theo sich eins von seinen Roggenschrotson-
nenblumenkernbroten, und Dad stellte sich dazu.

»Ich hab grade unseren neuen Nachbarn kennengelernt«,
sagte Dad und nahm sich eine Scheibe gekochten Schin-
ken pur. »Auf den ersten Blick so ganz nett.«

»War der das, der geklingelt hat?« fragte Theo.

Dad nickte. »Jetzt hab ich tatsächlich seinen Namen
schon wieder vergessen«, sagte er. »Na, in der Firma
dürfte mir das nicht passieren.«

»Bresewitz«, sagte ich.

»Woher weißt du das?« fragte Dad und drehte sich zu mir
um. »Genau, Bresewitz. Bresewitz, Bresewitz, das kann
man sich ja merken.«

»Und was wollte er?« fragte Theo und schenkte sich ein
großes Glas Milch ein.

»Ach Gott, er wollte eine Unterschrift«, sagte Dad und
guckte ein wenig unruhig. »Die konnte ich ihm natürlich
nicht geben. Zu ihm hab ich leider gesagt. Hat aber ja im

Grunde mit uns auch gar nichts zu tun. Wir haben das Haus schließlich nur gemietet. Wenn das stimmt, was er sagt, daß das Grundeigentum in dieser Gegend durch dieses Heim an Wert verliert, kann uns das letztlich egal sein. Hab ich ihm auch so erklärt. Und dann kennen wir uns ja auch mit der Sache gar nicht aus und müssen uns erst informieren. Er hat das auch eingesehen. Jedenfalls schien er nicht verstimmt zu sein oder so was.«

»Welches Heim?« fragte Theo und guckte Dad mit einem von seinen Blicken an. Dann tut Dad mir immer richtig leid. Theo hat so eine Art zu gucken, damit bringt er rüber, daß er von Dad nun aber wirklich auch nur das Schlimmste erwartet. Und daß alles andere ihn total verblüffen würde.

»Ach, ein Heim für Asylanten soll hier in der Gegend sein«, sagte Dad wegwerfend.

»Kannst du nicht Flüchtlinge sagen?« fragte Theo und nahm noch einen Schluck von seiner Milch. Ich bin sicher, das tat er nur, um Dad über den Rand vom Glas so ätzend anstarren zu können. Ich begreife nicht, wieso der sich das ständig gefallen läßt.

»Mein Gott, Flüchtling, Asylant, das ist doch dasselbe«, sagte Dad. »Sie sammeln eben Unterschriften, damit das Heim hier verschwindet. Er hat nicht direkt gesagt, daß es ein Schandfleck ist, aber du weißt ja –. Außerdem mindert es den Grundstückswert.«

»Aber auf den ersten Blick war er so ganz nett, der Unterschriften sammelnde Herr«, sagte Theo, und jetzt starrte er Dad nur noch an, nicht mehr über den Rand vom Glas, sogar sein Brot hatte er weggelegt, um besser starren zu können.

»Meine Güte, Theo!« sagte Dad ärgerlich. »Nun werd

doch um Himmels willen nicht wieder so mädchenhaft moralisch! Du weißt sehr gut, daß die Welt kein Bilderbuch ist, und es ist ja auch eine Schnapsidee, ausgerechnet in einer Gegend wie dieser ein Heim für Asylanten hinzusetzen. Das muß doch zu Konflikten führen!«

»Warum?« fragte Theo und zog die Augenbrauen hoch. »Hat sich einer von den Insassen beschwert? Ist es ihnen zu grün hier? Zu ruhig? Zuviel alter Baumbestand? Zu attraktive Bausubstanz? Hätten sie es lieber geruchsbelästigt, dreckig, am besten im Sanierungsgebiet direkt an einer sechsspurigen Durchgangsstraße?«

»Mit dir kann man ja nicht reden!« rief Dad wütend und verschwand aus der Küche. Wenigstens knallte er nicht mit der Tür.

Bis dahin war Theo ganz ruhig geblieben. Das ist ja gerade das Teuflische, womit er Dad immer total fertigmacht, daß er so absolut ruhig bleibt. Aber jetzt fing er an zu zittern, ich schwör's. Er fing richtig an zu zittern.

»Mensch, Theo!« sagte ich. »Was ist denn los?«

Zum Glück hörte das Zittern da schon wieder auf. Aber Theo saß immer noch ganz starr.

»So verdammt engagiert will er sein!« sagte er. »Achtundsechzig, Studentenbewegung! Zivilcourage! schreit er. Die Welt verändern! Aber natürlich hat er das früher häufiger geschrien, das stimmt. Du kannst dich vielleicht schon gar nicht mehr so erinnern. Und so einen Typen kann er nett finden! Du liebe Scheiße, gleich muß ich kotzen!«

»Aber er hat doch nicht unterschrieben!« sagte ich verwirrt.

»Nein, Gott sei Dank, so weit ist er noch nicht«, sagte Theo und schob seinen Teller zur Tischmitte.

Und ich habe wieder nur die Hälfte begriffen. Warum hat Theo sich bloß wieder so fürchterlich aufgeregt? Mir ist dieser ganze Kram sowieso total schnurzpiepe, Flüchtling oder Asylant! Wenn ich mich um alles kümmern wollte, was auf der Welt los ist, käme ich zu überhaupt nichts anderem mehr. Und gerade im Augenblick kann ich mir das bestimmt nicht erlauben. Zumindest in Mathe brauche ich wahrscheinlich Nachhilfe.

Jasim

Auf dem Amt gaben sie ihm sechzig Mark, für den Monat.

»Wie soll ich davon leben?« fragte Jasim.

»Sie sollen nicht davon leben«, sagte der Mann. Er sprach Englisch, das ja. »Sie haben ein Bett. Sie haben Ihr Essen jeden Tag. Sie haben alle vier Jahre einen Wintermantel und jedes Jahr eine neue Hose und eine Wäschegarnitur. Die sechzig Mark sind einfach so. Noch dazu. Ein Luxus! Sie können damit machen, was Sie wollen.«

»Aber ich will ja diesen Luxus nicht«, sagte Jasim. Da hatte er noch nicht verstanden. »Ich will Deutsch lernen und hier arbeiten und selbst mein Geld verdienen. Ich will nichts geschenkt! Ich will meine eigene Wohnung von meinem eigenen Geld bezahlen, mein eigenes Essen und meinen Wintermantel.«

»Sie kennen die Vorschriften«, sagte der Mann.

Die Vorschrift war, daß er nicht arbeiten durfte. Auch wenn er Arbeit fand. Auch wenn er Arbeit fand, die so dreckig, so schlecht bezahlt und so gefährlich war, daß kein Deutscher sie machen wollte, durfte er sie nicht annehmen.

Die Vorschrift war, daß er sich keine Wohnung nehmen durfte, auch kein Zimmer bei Freunden. Er mußte hier wohnen, in einem Zimmer mit Zbigniew, mit Fanjit und mit George, und er mußte die Mahlzeiten essen, die ihm zustanden: morgens von acht bis neun, mittags von halb zwölf bis eins und abends von halb vier bis vier. Er mußte das Essen im Speisesaal einnehmen und durfte es nicht in sein Zimmer bringen. In seinem Zimmer durfte er nichts essen und nichts kochen. Keinen Tee für Freunde, keinen Pulverkaffee.

Jasim erzählte George, wie glücklich er sich gefühlt hatte, als er das Haus zum ersten Mal sah. »Meine neue Heimat«, sagte er zu George. Das hatte er gedacht.

»Was glaubst du wohl, wer will, daß du das denkst?« fragte George. Er lachte wieder. George war schon so lange hier, Jasim wußte nicht, wie er noch so viel lachen konnte.

Lisa

Liebe Trinki,
Dein Brief heute mittag war echt das absolute Highlight
des Tages. Jchch, diese Schule hier, so was kannst Du Dir
ehrlich nicht vorstellen!
Es ist wirklich zum Heulen, daß unsere Frühjahrsferien
und Eure nicht gleichzeitig liegen. Dann könnte ich wenigstens diese Skireise mit Euch zusammen machen! Du
glaubst gar nicht, wie ich Euch beneide, vor allem Thorsten und Dich (!!!!). Fährt ein gewisser Jemand eigentlich
auch mit?
Glaubst Du, von dem hätte ich in den letzten zweieinhalb
Wochen irgendwas gehört? Ich könnte ja anrufen, aber
das tu ich nun wirklich nicht. Das sieht dann so aus, als
müßte ich ihm hinterherrennen. No, Sir! (Aber Du ver-
sprichst mir doch, Trinki, wenn irgend-, *irgend*was ist mit
ihm – daß Du mir dann sofort Bescheid sagst? Du?)
Also, die Schule hier ist, wie gesagt, hundertprozentig
daneben. Erst mal kriege ich in keinem Fach ein Bein auf
den Boden, was Dich ja vielleicht gar nicht so sehr ver-
wundern wird. (Ich weiß jedenfalls einige Lehrer in F.,
die würden sagen, das hätten sie schon immer gewußt!)
Dabei kann ich nicht mal sagen, ob die nun tatsächlich
weiter sind als wir oder ob alles einfach anders ist. Ich
checke jedenfalls nichts, und die meisten Lehrer haben
meinen Namen, glaube ich, schon längst wieder vergessen. Im Unterricht gibt's mich eigentlich nicht.
Nur die Dame Waldmann gibt sich die allergrößte Mühe,
meine Seele zu retten (sie unterrichtet Religion, wirklich!), aber leider bin ich dafür total ungeeignet. Heute

habe ich mich endlos mit ihr angelegt, weil ich sie einfach nicht ertragen kann.

Weißt Du, was sie in Religion mit uns macht? Sexualethik! Ehrlich! Als ob einem dieses ständige Gerede in Biologie nicht schon gereicht hätte, dieses ganze moralische Geseibere, und dazu noch jeden Tag Aids im Radio. Und jetzt auch noch in Religion!

Aber das Fürchterlichste daran ist, daß man sich das Gelaber auch noch von einer unverheirateten Tante mit gestärkter Bluse anhören muß, die jede Wette nicht die geringste Ahnung davon hat, wie ein Orgasmus à deux sich überhaupt anfühlt. Aber mit uns darüber reden wollen, welche Probleme sich für die heutige Jugend durch Aids ergeben, so was liebe ich. Das nenne ich geistiges Spannertum, genau so.

Es ginge ja alles noch, wenn sie mich wenigstens in Frieden lassen könnte, aber eben das kann sie nicht.

»Und du, Lisa?« sagte sie heute zu mir, als ich gerade intensivst mit der Frage beschäftigt war, welche von meinen Schuhen zu dem neuen, schnuckeligen Minirock passen, den ich mir vor zwei Tagen gekauft habe (irre Geschäfte gibt es hier, sage ich Dir!), oder ob ich mir womöglich sogar neue kaufen muß, »was sagst du dazu?«

Ich hatte nicht die geringste Ahnung, wovon sie gerade geredet hatte, bestimmt wieder irgend so was tierisch Problematisches, das uns die bedrückende Situation unserer Generation jetzt auch in sexuellen Fragen schlagend vor Augen führen sollte. Und außerdem habe ich sowieso keine Lust, ständig meine Intimsphäre vor fremden Fräuleins aufzublättern.

»Bitte, Fräulein Waldmann?« sagte ich deshalb. Ich glaube, so ganz mit Absicht war das gar nicht. Das »Fräu-

lein« ist mir mehr so rausgerutscht. Natürlich wollte ich
ihr eins auswischen, aber ganz echt, es ist mir mehr so
rausgerutscht.

Aber sie hielt sich gut, das muß man ihr lassen. Sie hätte
ja schließlich auch so tun können, als hätte sie nichts gehört.

»Habt ihr bei euch noch Fräulein gesagt?« fragte sie erstaunt. Ganz freundlich. Überhaupt nicht, als wäre ihr
das peinlich oder so. »Ich denke schon, daß es selbstverständlich sein sollte, jede Frau auch Frau zu nennen. Wie
man zu jedem Mann ja auch Herr sagt, verheiratet oder
nicht.«

Haha, wieder diese alte Geschichte. Und dann fragte sie
auch noch die Klasse, was sie dazu meinte, und die waren
natürlich alle froh, daß sie jetzt nicht mehr über die Frage
reden mußten, ob nicht in allen Schulen unbedingt Prä-
serautomaten angebracht werden sollten, und schon
stimmten sie ihr alle eifrig zu. Ich finde das alles so zum
Kotzen!

Als keiner mehr etwas sagte, meldete ich mich deshalb.
Ich glaube, es war das erste Mal, daß ich mich überhaupt
gemeldet habe, deshalb stürzte die Waldmann sich natürlich auch ganz glücklich auf meinen Finger.

»Ja, Lisa?« sagte sie.

»Ich nenne ein Fräulein ein Fräulein«, sagte ich. »Weil
ich alles andere verlogen finde. Vortäuschung falscher
Tatsachen oder so. Hochstapelei.«

Du, ich fand mich total cool in dem Augenblick, echt.
Aber die Klasse nicht. Diese eklige Klasse nicht. Die
grunzten und motzten und meldeten sich und erzählten
was davon, daß es sowieso viel stärker wäre, überhaupt
nicht zu heiraten und pipapo.

Als ob diese Waldmann sich das ausgesucht hätte! Die muß man sich doch nur angucken mit ihrem gestärkten Kragen, dann weiß man, welche Panik jeden Typen überfallen haben muß, dem sie sich jemals auf weniger als zwei Meter Abstand genähert hat. Aber in dieser Klasse sind sie ja alle so blind!

Mit einer Ausnahme allerdings. Aber davon schreibe ich Dir beim nächsten Mal. Mom steckt schon laufend den Kopf zur Tür herein und redet vom Mittagessen.

Oder sollen wir mal telefonieren? Ich kann Dich ja abends mal anrufen, wenn es nur die Hälfte kostet, okay?

Denk morgen mal an mich, da schreiben wir die erste Lateinarbeit!

Viele Grüße usw., Deine Lisa

PS. Kannst Du nicht irgendwas drehen bei Basti für Christina? Oder ist das total aussichtslos? (Wenn ich Basti wäre, ich würde auch meine Spikes nehmen und rennen!) Sie hat mir jetzt schon 6 (in Worten: sechs!) Briefe geschrieben und alle nur zum selben Thema. Ich kann die doch unmöglich alle beantworten! Also los, Trinki, hilf mir, mach ihr zur Not klar, daß der Zug abgefahren ist, aber tu um Himmels willen was, um mich von diesen Briefen zu erlösen! L.

He, altes Diary, nun schreibe ich doch wieder. Heute hab ich den ganzen Tag Latein gepaukt, es ist zum Verrücktwerden! In F. konnte ich das wenigstens mit Trinki zusammen machen. Nicht daß es uns viel genützt hätte! Aber gemütlicher war es, das steht fest.

Dad kam heute abend total aufgekratzt nach Hause. Er hat die Chance, unser Haus zu enorm günstigen Bedingungen zu kaufen. Ich versteh nichts davon, aber jedenfalls soll es ganz unglaublich günstig sein. Trotzdem würde es bedeuten, daß wir uns einschränken müßten, sagt Dad. Ich hab gefragt, was das heißt, und Dad hat gemeint, so locker wie bisher könnte ich mir dann bestimmt nicht mehr alle zwei Tage neue Klamotten kaufen. Als ob ich das je getan hätte! Aber Dad hat erklärt, mir täten Einschränkungen vielleicht mal ganz gut, ich wäre ja schon total auf Mode fixiert, er sähe das nicht ohne Besorgnis. Der alte Heuchler! Ohne Label läuft bei dem doch schon lange nichts mehr.

Im Augenblick sitzen Dad und Mom mit dem Taschenrechner und einer Flasche Wein im Wohnzimmer. Wenn sie sich dafür entscheiden zu kaufen, heißt das, daß wir ewig hierbleiben. Nein, lieber Gott, nein!

Lisas Tagebuch
4. Februar, abends

Lisa an
Maik
6. Februar

Hey there, Maik, Du altes, faules Stück!
Glaubst Du, es reicht, mir einen Ohrclip zu schicken, und
schon bin ich versöhnt? Du alter Macho! Damen mit Ge-
schenken kaufen oder was?
Ich bin stinke-, stinkesauer auf Dich, und wenn Du mir
tausend Ohrclips schickst! (Dieser ist übrigens unglaublich süß! Ich hab ihn schon dran.) Hast Du überhaupt mitgekriegt, daß es jetzt schon drei Wochen sind, seit Du mir
das letzte Mal geschrieben hast? Das ist doch eine Sauerei!
Ich glaube Dir ja, daß Ihr ständig mit der Band übt, aber
wenigstens ein klitzekleines bißchen Zeit für eine Postkarte zwischendurch muß doch mal drin sein, oder? Übrigens finde ich die Idee mit dem Demoband gut; ohne hast
Du heute doch absolut keine Chance mehr, irgendwo vernünftig einzusteigen.
Hier ist es immer noch nichts. Was heißt, ob ich endlich
eine Clique habe? Wie stellst Du Dir das denn vor?
Erstens ist diese Klasse dermaßen bescheuert, daß ich
wirklich null Lust auf Anbiedern habe, und zweitens,
glaubst Du, die hätten nur auf mich gewartet?
Eine Frau ist da, die heißt Nina, die regiert den Haufen,
und wahrscheinlich ist sie gar nicht so schlecht. So irre
blonde Engelslocken hat die, nur auf der rechten Seite je
eine Strähne blau und rosa. Sieht gut aus. Und läuft auch
nicht so omahaft rum wie der Rest, klamottenmäßig. Mal
sehn, die ist vielleicht nicht so blöde.
Theo hat natürlich schon wieder seine Gruppe. Wahrscheinlich sitzen sie da den ganzen Abend und essen
Müsli und trinken Milch, und dazu hält einer einen Vor-
trag über die Ausbeutung der Dritten Welt, im Hintergrund begleitet von Barockmusik. Ihr neues Ding sind

Asylanten, da ist Theo jetzt ganz heiß drauf, und dabei hat ihn das in F. nicht einen Fitz interessiert. Da war es Südafrika, glaube ich. Oder Nicaragua? Ehrlich, sei froh, daß Du mit mir befreundet bist und nicht mit dem!

Was hältst Du überhaupt davon, wenn ich Dich am Anfang der Frühjahrsferien, wenn Ihr noch Schule habt, besuchen komme? Bestimmt könnte ich bei Trinki wohnen.

Beim nächsten Mal schreibst Du schneller, alter Knuddelmaik! Wehe, wenn nicht!

Deine immer noch böse – Lisa

Okay, altes Ding, okay, Du hast gesiegt. Ich sag nicht mehr, daß Tagebücher überflüssig sind, okay? Aber mal angenommen, man hätte einen Freund, der öfter schreiben würde; und einen, dem man lange Briefe schreiben könnte, ganz lange, so lang wie man will – dann wären Tagebücher überflüssig, ehrlich wahr, und da geh ich nicht von ab.

Aber so einen Freund hat man eben nicht. Ich bin fast wahnsinnig geworden, als heute mittag der Brief von Maik auf meinem Schreibtisch lag, aber wegen Mom hab ich so getan, als ob mich der gar nicht interessiert.

»Ist das nicht Maiks Schrift?« hat Mom gefragt und darauf gewartet, daß ich den Umschlag aufreißen sollte, gleich jetzt, sofort, noch vor dem Mittagessen.

»Genau«, hab ich gesagt. Ich wollte den Brief allein lesen, in Frieden, und darum hab ich erst mal ganz ruhig gegessen und so getan, als ob ich gut warten könnte. Ich dachte, ich könnte die Gelegenheit gleich nutzen und auch das Ärgste noch hinter mich bringen, darum hab ich

Lisas Tagebuch
6. Februar

Mom dann gleich erzählt, daß wir die Lateinarbeit schon zurückhaben, und bei mir ist es eine Fünf.

»Mein Gott«, hat Mom gesagt. »Aber na ja, du bist ja erst gerade hier. Zu Anfang hat man mit so was wohl rechnen müssen.«

Ich habe genickt und ihr nichts davon erzählt, daß ich nicht glaube, es bleibt nur zu Anfang so. Dafür bin ich mit der Waldmann viel zu verquer.

Die Waldmann ist gleich zu mir gekommen, kaum daß sie die Arbeiten zurückgegeben hatte, und wollte sich anschleimen. »Es tut mir wirklich leid für dich, Lisa«, hat sie gesagt und sich so freundlich-gnädig zu mir heruntergebeugt. »Ich habe auch erst überlegt, ob ich deine Arbeit überhaupt schon bewerten soll...«

Iih, nee, wenn eine schon so ankommt. Die wollte doch nur, daß ich ihr Absolution erteilen sollte, damit sie ihr schlechtes Gewissen beruhigen kann. »Ach, lassen Sie doch, Frau Waldmann, das ist schon in Ordnung so, und beim nächsten Mal wird es sicher auch besser...«: So hätte sie es gerne gehabt, jede Wette. Dann wäre ihr kleines Herzchen beruhigt gewesen und ihr Schlaf gesichert.

Aber das konnte ich ihr nicht gönnen, leider nicht! Ehrlichkeit muß siegen, eine Fünf ist eine Fünf, und beschissen ist beschissen. Was soll ich sie da trösten? Wenn sie so ein schlechtes Gewissen bei ihrer Zensiererei hat, hätte sie mir ja auch gut eine Drei geben können oder die Arbeit gar nicht werten. Ich hab mich einfach weggedreht, und als sie immer noch stehengeblieben ist, direkt neben meinem Stuhl, so daß ich die ganze Zeit ihr Parfüm riechen mußte (Nina Ricci, L'air du Temps, garantiert), hab ich sie nur ganz cool abgefertigt.

»Okay, okay, Fräulein Waldmann«, hab ich gesagt. Bei »Fräulein« hab ich sie angeguckt. Ihr direkt in die Augen. Damit ihr klar war, das war kein Ausrutscher mehr. »Schon gebongt.«

Sie hat zurückgeguckt mit so einem komischen Blick und ist zu irgendeinem der vielen Finger gegangen, die die ganze Zeit in der Luft schnipsten. Da war einer ganzen Menge von Leuten einiges an ihren Arbeiten nicht klar.

Aber das hab ich Mom natürlich alles nicht erzählt. Da wimmert sie nur und sagt, daß man es sich doch nicht ausgerechnet, *ausgerechnet*! mit der Klassenlehrerin verderben muß, und ob ich mich nicht ein bißchen zusammennehmen kann – nein danke. Das muß ich nicht auch noch haben, mir geht es so schon dreckig genug.

Nach dem Essen habe ich dann den Brief von Maik aufgemacht, nicht mal eine ganze Seite, aber dafür der schönste Ohrclip der Welt.

Aber ich kann ihm das doch nicht so durchgehen lassen, oder? Er schreibt einfach, daß sie so viel zu proben hatten mit der Band, weil sie ein Demoband aufnehmen wollen, und ich weiß ja, wie ungern er schreibt. Punkt, aus, Schluß! Das reicht doch nicht, auch wenn er am Schluß »tausend Küsse« schreibt, was für einen wie Maik ja nun schon einiges bedeuten will. Und mit dem Ohrclip lasse ich mich auch nicht bestechen. Ich hab ihm extra kurz geschrieben, soll er doch merken, daß ich sauer bin, noch mal macht er das nicht mit mir.

Liebe Christina,

danke schön für Deinen Brief, den ich gestern gekriegt habe. Ich hoffe, Du bist mir nicht böse, daß ich die letzten vier nicht beantwortet habe, aber Du kannst Dir bestimmt vorstellen, wieviel ich hier an der neuen Schule tun muß! Um mich hinzusetzen und zu schreiben, bleibt da kaum noch Zeit.

Was Du von Basti erzählst, finde ich alles ganz fürchterlich. Irgendwas machst Du falsch, aber so aus der Entfernung weiß ich natürlich nicht, was. (Du bist doch nicht böse, wenn ich das so offen schreibe?)

Am einfachsten wäre es natürlich, wenn ich Dich mal besuchen käme. Dann könnten wir ganz in Ruhe beratschlagen. Fändest Du das nicht auch toll? Ich hätte sowieso mal wieder Lust, mich mit Dir so ganz in peace und ausgiebig zu unterhalten. Wie wäre es, wenn ich am Anfang unserer Ferien für ein paar Tage vorbeikäme? Bei uns geht das ja schon in fünf Wochen los.

Überleg mal, ob Du das auch gut findest, und schreib mir dann.

Viele herzliche Grüße, auch an Deine Eltern,

Deine Freundin Lisa

Heute auch in Mathe eine Fünf, aber der Mathetyp ganz cool und mitleidlos.

»Ich denke eigentlich, daß du jetzt lange genug hier bist«, hat der Fredi gesagt. »Besonders gut kannst du nicht aufgepaßt haben, aber aus deiner Akte sehe ich, daß das an der vorigen Schule nicht anders war.«

Der Arsch! Seine sämtlichen komischen Unbekannten soll er sich doch sonstwo hinstecken.

Ich warte ziemlich dringlich auf Antwort von Christina, ob ich in den Frühjahrsferien ein paar Tage bei ihr wohnen kann. Vorgestern hab ich meinen Brief abgeschickt, gestern hat sie ihn gekriegt, da hätte ich heute eigentlich schon Antwort haben können. Wenn sie was über ihren verdammten Basti berichten will, setzt sie sich doch auch immer sofort hin! Aber wahrscheinlich mußte sie sich erst mal mit Mami und Papi absprechen, ob es denen recht ist, wenn ich komme. Ich will nicht ungeduldig sein. (Dabei ist mir der Gedanke, ausgerechnet bei Christina zu wohnen, eigentlich ziemlich grauslich. Die ganze Zeit über Basti reden! Und ihre Mutter mit dem ständigen Lächeln und dieser fürchterlich sanften Stimme! Aber nachdem mir Trinki neulich am Telefon gesagt hat, daß ich bei ihnen hundertprozentig nicht wohnen kann, weil es mit vier Kindern in dem kleinen Haus sowieso schon zu eng ist und nicht mal die Oma sie mehr besuchen kommt, hab ich ja gar keine andere Wahl. Wer Maik besuchen will, muß Christina in Kauf nehmen, so einfach ist das. Gebe der Himmel, daß ihre Eltern mitspielen.)

Apropos Maik: Seit sechs Tagen nun schon wieder keine Zeile. Das ist fast eine Woche! Aber anrufen tu ich nicht. Soll er doch, wenn er so ungern schreibt. Oder telefoniert er auch nicht gerne? In F. habe ich davon nichts bemerkt!

Bei Nina bin ich gestern total abgeblitzt. Die blöde Kuh! Sie tut, als gehört ihr die ganze Klasse, und diese dummen Gänse spielen auch noch begeistert mit. Ständig hocken diese drei Damen um sie rum, die aussehen, als wären sie nur mittelmäßig gelungene Kopien von ihr, Sabrina, Birte und Tracy. (Tracy heißt in Wirklichkeit ganz simpel Therese, das kann jeder im Klassenbuch nachgukken, aber sie ist sich nicht zu blöde, auf Tracy zu bestehen und auch noch das R zu rollen.) Mich kotzt das so an, aber es hilft nichts, sonst ist in dieser Klasse kein Mensch, der mich irgendwie anturnen könnte.

Also bin ich heute nach der zweiten Stunde so ganz langsam zu Ninas Platz geschlendert. Die drei anderen saßen natürlich schon da und steckten ihre Köpfe zusammen in die Bravo.

»Ach, ihr lest Bravo«, hab ich gesagt. In so einem Ton, der jedem klarmacht: Das war meine Lektüre auf dem Töpfchen, aber seit ich aufs richtige Klo gehe, lach ich da nur drüber. »Schon mal die Cosmo angeguckt?«

Ich wußte, da war ich ihnen eins über. Weiter als Tina oder Brigitte geht es doch bei denen nicht.

Aber diese Nina ist wirklich cool. Sie hat mich von oben bis unten gemustert, wirklich, so ganz schamlos. In der Mitte hat sich ihr Blick etwas länger aufgehalten, das hat mir gut gepaßt. Ich hatte nämlich heute den neuen Gürtel um, den mit der großen Schnalle, und das sollte sie ruhig sehen.

Dann hat sie mir ins Gesicht gestarrt. »Ja?« hat sie gesagt. So ganz gelangweilt. »Ist was? Ich hab deinen Namen vergessen.«

Dieser verlogene alte Kleiderständer! Die ist doch nur sauer, daß sie in diesem Rummelhaufen da mal Konkurrenz kriegt! Als sie gestern zum ersten Mal einen Minirock anhatte, konnte jeder sehen, daß sie vom Knie ab O-Beine hat, aber hallo! Sonst wäre sie bestimmt schon viel früher im Mini hier aufgetaucht. Aber ihre Dreiergefolgschaft ist natürlich blind für so was. »Huch, wie toll!«, »Unglaublich!« Die wollten fast explodieren vor Begeisterung über diese kostenlose Ausstellung eines spitzenmäßigen Paares von O-Beinen.

Darüber hätte ich ja nun gut was sagen können, aber dazu war ich in dem Augenblick einfach zu blöd. Wenn mir eine ins Gesicht sagt, daß sie meinen Namen nicht weiß, und dabei bin ich jetzt vier Wochen in der Klasse!

Ich hab mich umgedreht und bin zu meinem Platz gegangen. Dabei hatte ich vorgehabt, ihr als Einstieg was Freundliches über ihr Shirt zu sagen. Da hätte man ja ein Gespräch anfangen können, oder?

Aber nun nicht mehr. No, Ma'm. Überhaupt glaube ich nicht, daß die Clique wirklich für mich in Frage gekommen wäre. Der Stil von Sabrina und Birte ist doch ziemlich daneben, und Tracy trägt hundertprozentig auch Made in Taiwan. Also wird es nichts mit diesen Damen.

Als ich an unseren Tisch zurückkam, saß da Elisabeth und pulte mit Tintenfingern eine Mandarine.

»Willst du?« fragte sie.

Ich hab nur den Kopf geschüttelt. Mit Elisabeth wird es langsam anstrengend, seit vier Wochen kämpfe ich darum, mich nicht von ihr in ein Gespräch verwickeln zu lassen, und sie kämpft genau um das Gegenteil.

Aber es geht nicht! No, no, no, es geht einfach nicht! Man muß nur sehen, wie sie im Unterricht den Arm lang reckt, damit ihre geliebten Lehrer sie auch ja sehen und drannehmen und ihr vielleicht sogar was Nettes sagen. Dann wird sie immer ganz rot.

»Tut mir leid, deine Mathe-Fünf«, sagte sie jetzt und hielt mir schon wieder diese klebrige Mandarine hin. Wenn sie gewußt hätte, daß es mir viel mehr ausmachte, ständig von ihr mit Gürkchen und Mandarinen attackiert zu werden, als eine Fünf zu schreiben! »Wenn du willst, kannst du ja nachmittags mal zu mir kommen. Dann können wir üben.«

Jchchch! Dann lieber sitzenbleiben! Ich habe irgendwas gemurmelt und bin aus der Klasse gegangen. Warum mußten wir bloß in diese fürchterliche Stadt ziehen, warum bloß!

**Lisas
Tagebuch
14. Februar**

Mom wird langsam ganz unruhig.
»Jeden Tag hockst du zu Hause!« sagt sie. »Das ist doch nicht normal! Gibt es denn überhaupt keine Mädchen oder Jungs, mit denen du dich anfreunden könntest?«
Dann muß ich mich immer zusammennehmen. Was muß sie sich ständig einmischen? In F. war ich ihr zuviel unterwegs, da hätte sie mich am liebsten angebunden, und jetzt, wo ich jeden Tag die liebe Tochter spiele und in meinem Zimmer sitze, ist es ihr auch nicht recht.
»Findest du denn keinen Anschluß?« fragt Mom verstört.
Was soll ich ihr erklären. Daß eine ganze Klasse blöde ist, glaubt einem ja sowieso keiner.

**Lisas
Tagebuch
15. Februar**

Noch immer kein Brief von Christina. Ob sie die Einladung damals zu Anfang nicht ernst gemeint hat? Oder hat es ausgerechnet jetzt mit Basti geklappt, und sie kann an überhaupt nichts anderes mehr denken? Das wäre wirklich typisch.
Theo hat heute seine erste Klausur in der neuen Schule zurückgekriegt, Chemie. Dreizehn Punkte! Und da ist der noch sauer, daß es nicht fünfzehn sind. Es ist so wahnsinnig ungerecht im Leben!
Aber wenigstens hat er sich wieder mit Mom und Dad angelegt, das ist mir ein Trost. Ich glaube; wenn sie nur

ein Kind behalten dürften und sie müßten sich entscheiden, sie würden sich trotz meiner Fünfen eher von Theo trennen. Ich motze wenigstens nicht ständig rum!

Gestern abend hatten sie zum Einstand die Nachbarn hier, »zu einem kleinen Umtrunk«.

»Doch, Manfred, das muß man machen«, hat Mom zu Dad gesagt. Sie hat nämlich jetzt ihre Vorhänge dran und die ganze Dekoration im Erdgeschoß fertig. »Und wenn die Leute noch so spießig sind.«

Dad sagte, er hätte ja gar nichts dagegen, und wenn die anderen alle so wären wie dieser Bresewitz, brauchte es nicht mal unbedingt ein völlig unerträglicher Abend zu werden.

Sie haben also den Nachbarn Bescheid gesagt, je zwei Häuser rechts und zwei Häuser links. Dann haben sie Theo und mich gefragt, ob wir dazukommen wollten. Theo hat wieder so blöde gegrinst. »Ach nein, danke«, hat er ganz freundlich gesagt. »Mein roter Pullover ist gerade in der Wäsche, meine Jeans sind sowieso blau – da zerstöre ich euch bloß eure ganze schöne Farbharmonie.«

Dad hat tief Luft geholt, aber er ist nicht zum Reden gekommen. Theo war schneller.

»Hoffentlich habt ihr die Nachbarn auch vorgewarnt!« hat er gesagt. »Damit hier nicht plötzlich jemand im grünen Kleid auftaucht! O du Scheiße!«

»Jetzt reicht's!« hat Dad gebrüllt. Theo hat sich grüßend mit zwei Fingern an die Stirn getippt und ist nach oben verschwunden, und ich habe gesagt, daß ich mich ganz gerne dazusetze. Schließlich bin ich neugierig.

Gestern abend kamen sie dann. Mom hatte tatsächlich ihr tomatenrotes Wollkleid an, und ich war nur froh, daß

Theo wieder zu seiner neuen Clique abgehauen war. Der hätte doch sonstwas gesagt, und nachher hätte es hier Mord und Totschlag gegeben.

Bresewitz' kamen zuerst und dann Krögers von rechts zusammen mit Friedrichs'. Sie hatten alle Blumen mitgebracht, und Mom bewunderte die Sträuße und steckte sie in passende Vasen. Der zweite Nachbar von links konnte nicht kommen.

Von unserem Wohnzimmer waren sie alle ganz hingerissen. Frau Kröger sagte, das wäre ja wie aus dem Katalog, und zum Glück sah sie nicht, wie Mom zusammenzuckte. Frau Kröger ist so eine kleine Dicke, ich glaube, daß die hier wohnen, ist wohl mehr ein Irrtum. Ihr Mann sieht auch nach nichts aus, aber sie haben einen Sohn bei der Steuer, das haben sie mindestens dreimal am Abend erzählt.

»Sehr stilvoll«, sagte Frau Friedrichs. Sie hatte ein Kleid an, bei dem man sich schütteln mußte, aber es war teuer gewesen, das konnte man sehen.

»So ein Umzug ist ja immer auch eine Chance«, sagte Mom. »Setzen Sie sich doch bitte! Man kann doch dann vieles verändern, ein neues Haus verführt ja auch immer zu neuen Einrichtungen.«

»Aber wie schön Sie das hingekriegt haben!« sagte Herr Kröger. »Alle Achtung! Nicht, Meta? Alle Achtung! Wir sind ja mehr für das Gediegene, altdeutsch, wenn Sie verstehen, aber für so junge Leute – alle Achtung!«

Mom lachte und sagte, *so* jung wären sie ja nun auch wieder nicht, an ihrem letzten Geburtstag hätte sie zum vierten Mal genullt, und Frau Bresewitz sagte, das könnte aber nun wirklich keiner vermuten.

Dann hatten sie sich alle hingesetzt. Dad brachte einen

Begrüßungstrunk, und dann lief der Abend, wie solche Abende eben laufen. Also zufriedenstellend.

Frau Friedrichs sagte nach ihrem ersten »sehr stilvoll« zwei Stunden lang nichts mehr, aber dafür waren Herr und Frau Kröger von allem begeistert, was ihnen unter die Augen kam. So ein schönes Eßzimmer hatten sie noch nie gesehen und so eine geschmackvolle Diele, und den Wein fanden sie ganz vorzüglich. Nur fragte Frau Kröger nach dem ersten Glas, ob sie ihn vielleicht mit Selter verdünnt kriegen könnte, das täte sie immer, sie würde sonst so schnell betüdelt. Dad lächelte zuvorkommend und holte Mineralwasser aus der Küche, und in der Tür rollte er so verzweifelt die Augen, daß ich mich ordentlich zusammennehmen mußte. Für die armen begeisterten Krögers tat es mir leid, weil schon nach der ersten halben Stunde feststand, daß dies sicher ihre letzte Einladung in unser Haus sein würde.

Die Männer unterhielten sich ganz angeregt. Zuerst sprachen sie über den Ausbau des Einkaufszentrums zehn Minuten entfernt und ob das den Grundstückswert steigern oder senken würde, und dann erzählte Herr Friedrichs von seinem neuen PC, und Dad und Herr Bresewitz hielten fröhlich mit. Herr Kröger langweilte sich auch nicht und sagte zwischendurch Sachen wie: »Nein, was es heute alles schon gibt!« oder: »Wenn uns das in unserer Jugend jemand vorausgesagt hätte, was, Meta?«

Bis auf Frau Friedrichs fühlten sich also offensichtlich alle ganz wohl.

Beim dritten oder vierten Glas fing Herr Bresewitz dann wieder von den Asylanten an.

»Über zweitausendfünfhundert Unterschriften!« sagte er. »Das ist der Bürgerwille! Da sollen sie erst mal be-

gründen, wieso sie das Heim hier aufrechterhalten! Sind
wir eine Demokratie oder sind wir keine?«

»Bravo!« sagte Herr Friedrichs. Er hatte einen dunkelblauen Anzug an und eine gestreifte Krawatte und sah
auch nach dem dritten Glas noch so aus, als hätte er die
ganze Zeit ein unsichtbares Aktenköfferchen auf dem
Schoß. »Warum kommen die denn her? Warum denn
ausgerechnet nach Deutschland? Weil sie profitieren
wollen von dem, was wir uns in vierzig Jahren mühsam
aufgebaut haben! Politisch verfolgt, daß ich nicht lache!
Die wollen raus aus ihrem Kral, Autos wollen die, Farb-
fernseher, aber zu faul, sich das im eigenen Land zu schaffen!«

»Und sie fühlen sich ja auch gar nicht wohl hier, nicht?«
sagte Frau Bresewitz schüchtern. »Das hört man doch immer wieder. Die fühlen sich ja hier auch ganz fremd,
schon das Klima...«

»Was nicht paßt, das paßt nicht!« sagte Herr Friedrichs,
und jetzt hatte er sein unsichtbares Aktenköfferchen
ganz offensichtlich vom Schoß genommen. »Mein Gott,
gucken Sie sich die Leute doch mal an! Natürlich soll es
Schwarze geben, das hat die Natur ja so vorgesehen, aber
doch nicht bei uns! Wozu sind die denn so schwarz? Als
Sonnenschutz! Und brauchen sie den bei uns? Na also!
Das sind doch – also, ich will ja nicht als Rassist verdäch-
tigt werden, ich habe überhaupt gar nichts gegen die
Schwarzen oder die Gelben oder sonstwas, solange sie
bleiben, wo sie hingehören! Einige unserer besten Ge-
schäftsverbindungen haben wir mit solchen Leuten! Aber
hier, mitten in Deutschland, da sehen die doch geradezu
unästhetisch aus! Sagen Sie doch mal!« Und er beugte
sich so weit über den Tisch zu Dad hin, daß ihm seine
Krawatte fast ins Weinglas hing.

Dad versuchte zu lachen, und ich dachte an Theo. Vielleicht wäre dieses Gespräch es ihm doch wert gewesen, seinen roten Pullover anzuziehen.

»Ich bin da eigentlich ganz neutral, Herr Friedrichs«, sagte Dad verbindlich. »Ich muß Ihnen ehrlich sagen: Mich stört das nicht, mal ab und zu einen Schwarzen auf der Straße zu sehen.«

Frau Kröger lächelte ihn an. »Geschöpfe Gottes«, sagte sie. »Die sind schließlich auch alle Geschöpfe Gottes, oder nicht?«

Es entstand eine kleine, peinliche Pause, und Herr Kröger sagte: »Wir wissen da ja nicht so viel von, Meta. Laß das die Herren man besprechen. Die haben studiert, die verstehen da mehr von, nicht? Aber daß ich das da nun unterschreib, daß diese armen Menschen da wieder zurück sollen, wo sie gerade hergeflüchtet sind, vielleicht noch gefoltert oder was weiß ich – also, Herr Bresewitz, das hab ich Ihnen ja auch gleich gesagt, unterschreiben tu ich nicht.«

Herr Bresewitz lächelte freundlich zurück. Er hatte wieder einen Boss-Pullover an, einen anderen diesmal, und saß ganz locker in seinem Sessel.

»Da haben wir uns ja schon ausgiebig drüber unterhalten, Nachbar Kröger«, sagte er. »Das ist doch kein Grund zu Unstimmigkeiten unter Nachbarn! Aber realistisch rangehen muß man da schon, meine ich. Meinetwegen sollen sie alle Geschöpfe Gottes sein, das ist mir recht, aber doch bitte, bitte woanders! Ich teile da nicht ganz Ihre Auffassung, Nachbar Friedrichs, daß sie unästhetisch sind – gucken Sie sich doch mal manche von den Damen aus dem städtischen Altersheim an, bei allem Respekt: Viel schlimmer können diese Farbigen doch auch kaum sein. Aber der Grundstückswert, meine Herren, darum geht es doch! Man muß das doch realistisch sehen!«

»So ganz leicht ist es einem ja nicht gefallen, hier zu bauen«, sagte Frau Bresewitz wieder schüchtern. »Ich sag das ganz ehrlich, da kann man doch auch drüber reden, oder? Und nun wird durch dieses – dieses Lager unser Eigentum plötzlich weniger wert, das ist doch nicht gerecht?«

Dad lächelte freundlich und schenkte Wein nach. »Natürlich gibt es eine Asylgarantie im Grundgesetz«, sagte er verbindlich. »Ich meine, das müßte man zumindest gegeneinander abwägen.«

Herr Bresewitz lachte. »Kommen Sie, kommen Sie!« sagte er belustigt. »Über das Alter sind wir doch raus, oder? Ich bin ja auch mal Fahnen schwenkend durch die Straßen gelaufen, das leugne ich ja gar nicht! Da steh ich ja sogar dazu! Die Jugend muß kämpferisch sein, Gerechtigkeit und Freiheit und was weiß ich! Aber da sind wir doch drüber raus, Herr Nachbar! Das wissen wir doch beide, die Träume im Schonraum der Jugend und die Wirklichkeit des praktischen Lebens – das läßt sich wohl kaum vereinbaren!«

Dad lachte. Wahrscheinlich weil er sich vorstellen mußte, wie bei Herrn und Frau Bresewitz im Wohnzimmer früher auch mal diese Poster mit Rosa Luxemburg und dem Bärtigen gehangen hatten. Die Vorstellung war wirklich komisch.

»Aber Grundgesetz bleibt Grundgesetz«, sagte Dad und prostete Herrn Bresewitz zu. »Und Sie werden den Herren, die damals da hineingeschrieben haben, daß in der Bundesrepublik jederzeit jeder Verfolgte Schutz genießen soll, kaum jugendliche Schwärmerei vorwerfen kön-

nen. Das waren durch die Bank gesetzte Herren, viele
von ihnen mit Erfahrungen im KZ oder Exil. Die wußten,
wovon sie geredet haben!«
Die ganze Zeit hatte Herr Friedrichs nur zugehört, aber
sein Gesicht war zunehmend unwilliger geworden.
»Das wußten sie eben nicht!« rief er aufgebracht. »Hier
geht es doch um den *Miß*brauch! Wenn einer bei sich im
Kral ins Gas kommen würde, der soll hier meinetwegen
in Gottes Namen bleiben dürfen, aber auf wen trifft das
denn zu? Am Wirtschaftswunder schmarotzen, das wollen sie!«
Da sagte seine Frau auch was. Zum ersten Mal seit zwei
Stunden sah sie so aus, als wäre sie tatsächlich lebendig.
»Immerhin leben sie von unserem Geld!« sagte sie. »So-
zialhilfe! Denen wird – entschuldigen Sie den Ausdruck,
aber jetzt bin ich wirklich erregt – hinten und vorne alles
reingestopft, brauchen nicht zu arbeiten und leben in
Saus und Braus, und wie ist es uns ergangen, als wir damals aus der Zone rübergekommen sind? Wir haben ge-
schuftet Tag und Nacht, bis wir das Geschäft aufgebaut
hatten, zur Untermiete haben wir gewohnt, zu zweit in
einem Zimmer!«
Mom sah erschrocken aus. Eine gute Gastgeberin paßt
auf, daß kein Mißton in ihre Gesellschaft kommt, und das
war ihr nicht geglückt.
»Ich finde, das ist kein Thema für einen gemütlichen
Abend, oder?« sagte sie schnell. »Was meinen die Damen? Daß ihr Männer auch immer anfangen müßt zu po-
litisieren, Manfred! Schenk doch lieber noch mal nach.
Mich würde viel mehr interessieren, ob es hier in der
Nähe irgendwo einen Wochenmarkt gibt, das bin ich von
früher so gewöhnt, aber hier...«

Herr Friedrichs ließ sich langsam in seinen Sessel zurück-
sinken, und seine Frau hatte die Hände schon wieder im
Schoß gefaltet und saß, als hätte sie nie etwas gesagt.
Frau Bresewitz wirkte sichtlich erleichtert, und Herr
Kröger ermunterte seine Frau, Mom doch alles und ge-
nau über den Wochenmarkt zu berichten. Dann sprachen
die Männer über Fußball.
Sie gingen erst kurz vor Mitternacht, und das ist für einen
ersten Besuch ja ein gutes Zeichen.
»Aber anstrengend!« sagte Dad und schenkte sich vor
dem Ins-Bett-Gehen noch ein Wasserglas voll Wein ein.
»Und dem Himmel sei gedankt, daß Theo nicht dabei
war. Dann hätten wir hier gleich wieder ausziehen können.«
Mom lachte. »Sind diese Krögers nicht süß?« fragte sie.
»Und Meta zu heißen! Ich dachte, das gibt es gar nicht
mehr.«
»Bresewitz gehen«, sagte Dad nachdenklich. »Die sind
schon ganz in Ordnung so. Aber diese Friedrichs – da
muß man aufpassen. Diese Frau! Glaubst du das, da läuft
es mir kalt den Rücken runter. Die ist doch haarscharf an
der Klapsmühle vorbei.«
»Ach, Unfug«, sagte Mom und räumte schon die Gläser
ab. »Ich will jetzt nur noch ins Bett.«
Und das haben wir dann auch alle gemacht. Dad hat
recht. Mit Theo wäre der Abend eine Katastrophe geworden.

Jasim

Sie sagten ihm, er solle sich einen Anwalt nehmen.
»Wozu?« fragte Jasim. Er hatte nichts Unrechtes getan.
Er bat um Aufnahme in diesem Land, weil man ihn in
seinem Land nicht leben ließ.
»Ohne Anwalt sitzt du schon im Flugzeug«, sagte
George. »Ohne Anwalt bist du schon wieder zu Hause.
Kennst du die Fristen? Weißt du, in welcher Zeit du welches Formular an welche Stelle schicken mußt? Anträge
und Widersprüche, weißt du, was das ist? Eine Woche,
einen Monat, wann muß dein Schreiben bei der Behörde
sein?«
»Ich weiß nicht«, sagte Jasim.
»Kennst du ihre Sprache?« fragte George. »Kennst du
ihre Gesetze, weißt du, was Flüchtlingen erlaubt ist, was
nicht, weißt du, was du sagen mußt, damit du ein Flüchtling bist?«
»Ich bin ein Flüchtling«, sagte Jasim.
George lachte. »Nicht jeder, der geflohen ist, ist für sie
auch ein Flüchtling«, sagte er. »Vielleicht bist du nur aus
niederen Beweggründen gekommen? Vielleicht bist du
nur gekommen, weil du zu Hause deine Familie nicht er-
nähren konntest? Vielleicht mochtest du nur den Hunger
deiner Kinder nicht mehr mit ansehen und die tägliche
Angst deiner Frau? Dann bist du kein Flüchtling, dann
bist du ein Asylschmarotzer, ein Scheinasylant, ein Wirtschaftsflüchtling, niedere Beweggründe! Du nimmst dir
besser einen Anwalt«, sagte George.
Der Anwalt wollte viel Geld.
»Ich kann nicht zahlen«, sagte Jasim. »Ich darf nicht ar-

beiten. Ich kann nichts verdienen. Woher soll ich Geld für einen Anwalt nehmen?«

Der Anwalt lächelte. Er sprach englisch. »Jeden Monat fünfzig Mark«, sagte er. »Sie zahlen in Raten.«

Jasim hatte sechzig Mark. Er mußte fünfzig Mark zahlen. Er hatte noch zehn.

Sein Luxus war klein geworden.

George lachte. »Du hast dein Bett«, sagte er. Wie der Mann auf dem Amt. »Du hast dein Essen. Dein Luxus sind deine Träume. Jeden Monat, wenn du deine zehn Mark in den Händen hältst, wirst du träumen: Was kannst du nicht alles damit anfangen! Du kannst einmal in die Stadt fahren und einmal zurück, und noch einmal in die Stadt, aber zurückfahren kannst du dann erst wieder im nächsten Monat.«

»Hör auf!« sagte Jasim.

»Oder du kannst drei Bier trinken in einer Gaststätte, wenn sie dich hineinlassen und wenn sie dich so behandeln, daß du nach dem ersten Bier noch Lust auf zwei weitere hast. Oder du kannst dir zehn Zeitungen kaufen oder ein Taschenbuch, oder du kannst ins Kino gehen und dir einen Film ansehen, aber zum Kino mußt du laufen, denn das Fahrgeld kannst du von den zehn Mark nicht auch noch bezahlen. Bist du zu Hause nie gelaufen?«

»Hör auf!« schrie Jasim. »Hör auf, hör auf, hör auf!«

»Welch ein Luxus!« sagte George. »Welch eine Fülle von Träumen! Und am Anfang des Monats gehören sie alle noch dir. Du darfst deinen Reichtum nur nicht zu schnell ausgeben, deine zehn Mark.«

Jasim wollte George schlagen, aber dann legte er sich nur auf sein Bett. Die Heimordnung verbot Prügeleien zwischen den Bewohnern.

Lisa

Sie hat geschrieben, tirili! Ihre Eltern sind einverstanden, daß ich komme, Christina hatte nur eine fiebrige Halsentzündung, deshalb hat sie nicht gleich geantwortet. **Lisas Tagebuch** *18. Februar*
Ich schreibe ihr jetzt aber auch nicht sofort. Sie soll nicht den Eindruck kriegen, daß ich total scharf auf den Besuch in F. bin. Soll sie doch ruhig glauben, ich komme nur wegen ihr und Basti, das macht sich gut.

Ich habe es nicht mehr ausgehalten und Maik angerufen. *abends* Seine Stimme am Telefon ganz fremd. Dabei haben wir früher jeden Tag telefoniert! Aber da wußte ich eben auch, in zehn Minuten kann ich bei ihm sein. Jetzt ist es so, als ob jeder Kilometer zwischen uns ihn fremder macht.
»Ach, du bist das!« hat Maik gesagt. Es klang – beinah klang es, als wäre er erschrocken. Dann hat er irgendwas gestammelt, weshalb er so lange nicht geschrieben hat – daß er meine Adresse verschlampt hätte, und nächste Woche hätten sie einen Auftritt im Jugendzentrum, da wären sie ständig am Üben...
»Maik!« habe ich gebrüllt. Regelrecht in den Hörer gebrüllt habe ich das. »Deswegen ruf ich überhaupt gar nicht an! Ich komme nach F.!«
Am anderen Ende war erst mal eine Weile Pause. Direkt vor Begeisterung den Hörer hinknallen und durchs Zimmer tanzen oder wenigstens laut »Wow!« schreien tat er offensichtlich nicht. Auf der anderen Seite blieb erst mal alles still.
Dann fragte Maik, und seine Stimme klang immer noch fremd und ganz sicher nicht begeistert: »Wann?«

»In vier Wochen!« sagte ich. Vielleicht war er nur so erschlagen von der Überraschung, daß er nicht richtig reagieren konnte. »Ich wohne bei Christina.«
Durch den Hörer war ein leises Stöhnen zu hören. »Christina!« sagte Maik. »Aber na ja. Sonst ist es natürlich toll und alles. Hoffentlich hab ich da nicht gerade mit der Gruppe zuviel zu tun, daß ich auch Zeit für dich habe.«
Dann änderte sich seine Stimme plötzlich. »Lisi?« sagte er. Und da wußte ich, das am anderen Ende war tatsächlich Maik. »Telefon ist Scheiße, oder? Ich, also ich – es wäre schön, wenn du noch hier wärst und alles.«
Maiks Stimme klang ganz rauh, und mir zog es fast den Magen zusammen. Telefon war Scheiße, da hatte er recht, nur den Plastikhörer am Kopf mit der Stimme drin und nichts zum Anfassen und Augenzumachen und Streicheln. Telefon ging nicht, nicht wenn man sich mochte.
»Ich wollte dir nur schnell Bescheid sagen«, sagte ich. Meine Stimme klang auch nicht besser als seine. »Tschüs, Maik, das wird sonst zu teuer, Dad wird sauer.«
»Ich schreib mal«, sagte Maik am anderen Ende. Er konnte ja nicht sehen, daß ich lachen mußte.
»Tu mal«, sagte ich und legte auf.
Und jetzt sitze ich in meinem Zimmer auf dem Kuschelteppich und lasse dieses alte Beatlesding laufen, »Yesterday«. Auf der Fensterbank habe ich zwei Kerzen. Wenn man mit den Händen durch den Teppich fährt, bleiben die Finger in den langen Fäden hängen wie in fremdem Haar, aber natürlich scheint draußen wieder kein Mond. Nicht mal das schaffen sie in dieser blöden Stadt.
(Übrigens sieht es im Augenblick so aus, als ob wir hier bleiben. Dad und Mom wollen das Haus tatsächlich kaufen, sie waren bei der Bank und bei der Bausparkasse,

und jeden Abend höre ich sie im Wohnzimmer Zahlen murmeln. Auch deshalb ist es so wichtig, daß ich nach F. fahre und daß es gut wird. Maik muß einfach im Herbst herkommen, er muß einfach! Ich halte sonst den Gedanken, hier gefangen zu sein bis an mein Lebensende, nicht aus.)

Ich... dich! Nie mehr Telefon! Lisa

Lisa an Maik, Telegramm *20.2*

Ich habe das Foto vor mir auf den Teppich gelegt. Er muß es sofort nach unserem Telefongespräch abgeschickt haben. Auf die Rückseite hat er mit grünem Filzstift geschrieben: Für Lisa. Ich... dich. Maik
Ich habe mir aus Dads Sammlung diese alte Leonard Cohen-Platte geholt, »Suzanne«. So was gibt's ja heute gar nicht mehr.
»Suzanne takes you down to her place by the river / you can hear the boats go by / you can spend the night beside her / and you know that she's half crazy / but that's why you want to be there...«
Wir haben das manchmal zusammen gehört, Maik und ich. »And you'll always be her lover / 'cause she's touched your perfect body with her mind!«
Maik hat gesagt, das ist der pure Wahnsinn. Wer so einen Texter hat, der hat schon halb gewonnen.
Das Foto ist übrigens eine Autogrammkarte, die haben sie im letzten Dezember machen lassen, als ich noch in F.

Lisas Tagebuch *20. Februar abends*

war. Maik hat einen grünen Kringel um sich und das Schlagzeug gemalt, wie man ihn auf Urlaubspostkarten um das Hotel macht, in dem man wohnt.

Als ob ich nicht auch ohne Kringel wüßte, wer Maik ist!

Lisa an Christina
22. Februar

Liebe Christina!

Vielen Dank für Deinen Brief. Ich habe ihn vor fast einer Woche gekriegt, aber hier ist für die Schule immer dermaßen viel zu tun, daß ich überhaupt nicht zum Schreiben komme.

Danke für die Einladung! Ich freue mich schon auf die vier Tage. Bestimmt können wir an der Sache mit Basti was drehen.

Vielleicht können wir ja mal zu viert weggehen, Maik und ich und Du und Basti. Vielleicht auch noch Trinki und Thorsten. Irgendwas fällt mir da schon ein, wenn ich erst in F. bin. Also halte durch, und nicht verzweifeln!

Wegen der Ankunftszeit rufe ich dann vorher noch mal an.

Herzliche Grüße, auch an Deine Eltern,

Deine Lisa!

PS. Meine Eltern lassen Deinen Eltern sagen, daß sie es furchtbar nett finden, daß ich kommen darf, und daß die Einladung selbstverständlich auch in der entgegengesetzten Richtung gilt. Richtest Du ihnen das bitte aus? L.

In Bio heute auch eine Vier zurückgekriegt. Dabei *kann* ich Bio! In Bio hatte ich immer eine Zwei!

Es muß daran liegen, daß sie mich hier alle nicht ausstehen können, die Lehrer nicht und die Schüler natürlich erst recht nicht. Nicht mal diese langweilige Elisabeth nervt mich mehr mit ihren ständigen Annäherungsversuchen. Natürlich sagt sie noch »Guten Morgen« und ist auch ganz freundlich und so, aber sie hat mir schon seit Ewigkeiten nichts mehr von ihren klebrigen Mandarinen angeboten, und davon, daß sie bei sich zu Hause mit mir Mathe üben will, war auch schon lange nicht mehr die Rede. Wofür ich ja natürlich nur dankbar bin, ehrlich wahr.

**Lisas
Tagebuch**
*22. Februar
nachmit-
tags*

Lieber Maik!

Jetzt weiß ich schon nicht mal mehr, wie ich an Dich schreiben soll, zu blöd! Hast Du mein Telegramm gekriegt? Über das Foto habe ich mich so wahnsinnig gefreut –

Wenn man so weit auseinander ist und noch dazu schon so lange, dann wird alles ganz sonderbar, findest Du nicht? Ich meine, plötzlich habe ich das Gefühl, ich weiß gar nicht mehr richtig, an wen ich schreibe! Verstehst Du, was ich meine? Oder klingt das blöd? Jedenfalls kann ich jetzt ein bißchen verstehen, daß Du nicht gerne schreibst, und ich bin Dir überhaupt nicht mehr böse deswegen. Wir sehen uns ja bald, dann können wir alles nachholen.

Ach, Maik, hast Du das auch manchmal, daß Dir geradezu alles weh tut, so sehnst Du Dich nach mir? Manchmal denke ich, ich muß völlig wahnsinnig werden, wenn

**Lisa an
Maik**
23. Februar

ich Dich nicht gleich sofort hier habe und Dich streicheln kann, Dein Haar, Dein Gesicht, ich spüre dann richtig so ein leeres Gefühl da, wo Dein Arm um mich gelegt sein sollte, und ich weiß, ich muß schreien, wenn Du nicht gleich meinen Kopf zurückbeugst und meinen Hals küßt. Und alles.

Ich werde noch wahnsinnig deswegen.

Hier ist es immer noch so beschissen wie am Anfang, eher noch schlimmer. Inzwischen haben wir in allen Fächern mindestens eine Arbeit geschrieben, und es war nicht eine einzige Drei, geschweige denn eine Zwei dabei. Alles daneben! Langsam fange ich an zu glauben, ich bin wirklich so blöd. Sogar Mom runzelt inzwischen besorgt die Stirn, wenn ich wieder eine schlechte Arbeit zurückgekriegt habe, die letzten drei habe ich ihr gar nicht mehr gezeigt. Wenn es abwärts geht, dann geht es eben abwärts, und wenn ich sitzenbleibe, erfährt sie es im Juni noch früh genug. Was soll ich ihr das ganze Frühjahr versauen!

Weißt Du noch, wie sie immer davon geredet haben, daß kein Mensch gut in der Schule sein muß und daß der Schulerfolg nichts über den Erfolg im Leben aussagt? Und wie sie sich über den Leistungsterror von Christinas Eltern aufgeregt haben? »Denken jetzt schon darüber nach, ob ihr Kind einen Studienplatz kriegt!« hat Dad immer gesagt. »Mein Gott, meine Kinder brauchen gar nicht zu studieren! Glückliche Menschen werden, das sollen sie, und wenn sie das als Müllmann oder Putzfrau sind, soll es mir recht sein!«

Irgendwie scheint das jetzt aber nicht mehr so ganz zu gelten. Nicht daß Dad Theo nicht weiterhin sein Glück als Müllmann gönnen würde, solange der nur in allen Fächern an der Spitze der Kurse steht und auch an dieser Schule schon wieder als absolutes Genie gilt. Aber ich soll nicht mehr als Putzfrau glücklich werden.

»Ich sag das nicht gerne, Lisa«, hat Dad nach der vierten Fünf gesagt, die ich hier nach Hause gebracht habe, »aber es wäre schon gut, wenn du dich ein wenig anstrengen könntest. Es ist heute ja nicht mehr so wie zu meiner Zeit, weißt du. Wir konnten noch schludern und schluren und schlechte Noten haben und trotzdem sicher sein, einen vernünftigen Beruf zu kriegen, wenn wir uns nur nach der Schule ordentlich angestrengt haben. Aber heute sind die Noten eben doch ein bißchen wichtiger – bei der Lehrstellenknappheit und Numerus clausus und Arbeitslosigkeit.«

Als ob ich meine Fünfen mit Absicht schreibe!

Sowieso kann ich mir keinen Beruf vorstellen, zu dem ich Lust hätte, außer vielleicht eine Boutique zu haben, aber nach ein paar Jahren wird das bestimmt auch öde. Am liebsten würde ich ganz aufhören mit der Schule. Und das mach ich auch, sobald es geht!

Ich habe mir ein Zentimetermaß über mein Bett gehängt, genau sechzehn Zentimeter lang, und jeden Abend schneide ich einen ab. Wenn der letzte Zentimeter weg ist, sehen wir uns. Sechzehn Tage sind gar nicht so viel.

Lisa

Wie die sich alle in die Hose machen wegen dem blöden Klassenfest! Nein! Dienstag soll es sein, und sie können schon über gar nichts anderes mehr reden. Und die Waldmann, wie immer mit fescher Fönfrisur und gebügeltem Rock, dirigiert das Ganze.

Sie haben alles festgelegt: wer was zu essen ranschafft und wer die Klasse ausschmückt und wessen Anlage wir aufstellen dürfen und wer alles Platten mitbringt.

Ich habe mich fein zurückgehalten.

Ich habe wirklich keine Lust, zu Hause den ganzen Nachmittag Frikadellen zu rollen oder Zwiebeln zu hacken, nur damit diese Zombies sich dann gierig darüber stürzen und in zehn Minuten alles auffressen. Ich weiß noch nicht mal, ob ich hingehe.

Aber bei der Waldmann ist es gar nicht so einfach, sich rauszuhalten, das muß man ihr lassen. Der geborene Kinderquäler, das ist sie, wenn es je einen gab.

»Lisa?« hat sie gefragt. »Ich hab dich noch nicht auf meiner Liste. Was möchtest du denn beitragen zu unserem kleinen Fest?«

Jchchch! Beitragen, wenn ich das schon höre! Ich möchte gar nichts beitragen, Dame, weil mich das alles total anödet. Auf kleine Feste ist doch geschissen. Wahrscheinlich flechten sich die Mädels noch Girlanden ins Haar.

Aber so was sagt man natürlich nicht. So was denkt man, bis zu den Stimmbändern läßt man das nicht vor.

»Willst du was zu essen mitbringen?« hat sie wieder gefragt. Ohne jede Rücksicht.

»Nee«, hab ich gesagt. Mehr nicht. Wenn man da erst groß anfängt zu erklären, finden solche wie die Waldmann doch immer nur was, wo sie einhaken können. Und nachher stehe ich dann doch am Herd.

»Vielleicht kannst du Platten mitbringen?« hat sie gefragt.

Die gibt nicht auf! Die gibt nicht auf, die hat eine Ausdauer, das ist phänomenal. Aber das ist ja wohl typisch für die Damen mit Damenbart.

»Ich hab nur CDs«, hab ich ganz cool gesagt. »Und die verleih ich sowieso nicht.«

Da haben sie in der Klasse schon alle gestöhnt und gemurmelt. Ich sag doch, die haben was gegen mich. Vom ersten Tag an haben die mir keine Chance gegeben.

Das einzig Erfreuliche war, daß die Waldmann jetzt tatsächlich sauer geworden ist. Das ist doch eine Freude, wenn man merkt, daß man so eine auch aus der Ruhe bringen kann.

»Dann hilfst du eben beim Ausschmücken«, hat sie ungeduldig gesagt. »Das ist die Gruppe von – da gehst du zu Birte und Therese und Nina.«

Und dann hat sie uns die Bücher auf Seite sechsundvierzig aufschlagen lassen und hat mit ihrem fetzigen Latein angefangen.

Und die ganze Zeit haben Nina und ihre Fräuleins zu mir rübergestarrt und miteinander getuschelt. Aber die brauchen sich gar keine Sorgen zu machen. Ich mach da sowieso nicht mit.

(In Mathe hab ich übrigens die zweite Fünf wiedergekriegt. Komisch, daß mich das schon gar nicht mehr stört. Der Typ will zwar, daß man Arbeiten unterschreiben läßt, aber nachkontrollieren tut er das doch nicht. Und eine Fünf, über die man mit keinem reden muß, ist fast so, als gäbe es sie gar nicht.)

Eine Drei in Erdkunde zurückgekriegt! Juppheidi und tirili, ich hab doch immer gesagt, daß ich so ganz blöde gar
nicht bin. Aber natürlich hatten wir diese komischen Ve-
getationszonen in F. gerade durchgenommen, vielleicht
hatte ich das alles schon da verstanden und hab hier gar
nichts dazugelernt. In F. war ich ja sowieso nicht *so* total
schlecht.

Egal, Drei ist Drei, und Mom hat sich wirklich gefreut.

»Siehst du wohl, es geht aufwärts!« hat sie gesagt. »Mit
Dreien fängt es an, und mit Zweien geht es weiter.«

Ich hatte keine Lust, ihr zu erklären, daß mein Ehrgeiz so
weit keineswegs geht. Weil sie von den letzten Arbeiten
nichts weiß, hat sie ja überhaupt keine Ahnung, *wie* un-
gewöhnlich gut eine Drei für mich zur Zeit ist.

Aber Dad hat sie es gleich weitererzählt, als der von der
Arbeit kam.

»Lisa hat in Erdkunde eine Drei geschrieben«, hat sie gesagt. »Jetzt wird es besser, glaubst du nicht auch, Manfred?«

»Hab ich doch immer gewußt«, hat Dad gesagt, und ich
hätte ihm schon wieder den Apfel an den Kopf pfeffern
mögen, den ich gerade schälte. Gar nichts hat der gewußt, alter Heuchler, um meine Zukunft gezittert hat er,
mir Vorträge gehalten! Von Zuversicht und Vertrauen
war da nicht viel zu merken, und dabei weiß jeder, der
mal irgendwann psychologische Sendungen im Fernse-
hen gesehen hat, daß nichts das Persönlichkeitswachstum
des Kindes so fördert wie Zuversicht und Vertrauen der
Eltern.

Das Blödeste ist, daß er jetzt wahrscheinlich denkt, die
Drei ist das Ergebnis seiner moralischen Ansprache.
Wenn ich Pech habe, hält er mir solche Vorträge jetzt
öfter!

Theo hat sich am Herd einen Tee gekocht. »Das freut mich echt, Schwesterkind«, hat er gesagt. »Doch, doch, ganz ehrlich.«

Ich habe gehofft, daß er nicht weiterredet. Theo sieht mich ja jeden Tag in der Pause, wenn ich meine Kreise um den Schulhof oder die Pausenhalle ziehe, allein mit meinem Knäckebrot in der Hand. Theo kann sich vermutlich einiges darüber zusammenreimen, wie es mir in meiner neuen Klasse geht, und es ist eigentlich ziemlich fair von ihm, daß er da bisher mit Mom und Dad nicht drüber geredet hat. Aber er redet ja sowieso nicht so viel mit ihnen.

Heute allerdings hat er das doch getan, und so, wie er sich aufgeführt hat, ist es ein Wunder, daß er nicht hinterher seine Sachen gepackt hat und abgehauen ist.

»Weißt du, daß wir hier noch nie im Kino waren?« hat Mom plötzlich zu Dad gesagt. Das war ja auch okay. So viel Redestoff gibt meine Drei in Erdkunde sicher nicht her.

»Hm«, hat Dad gesagt und sich die Zeitung von der Anrichte gefischt. »Der Wirtschaftsteil fehlt schon wieder! Ich bin ja froh darüber, daß ich einen Sohn habe, den so was interessiert, aber könntest du die Seiten hinterher vielleicht bitte wieder zurücklegen?« Und seine Stimme klang schon wieder so wütend, daß ich wußte, jetzt fehlte nur noch eine Kleinigkeit, um ihn zum Explodieren zu bringen. Dabei bin ich sicher, wenn *ich* den Wirtschaftsteil gemopst hätte, hätte er mir für mein fortschrittliches Interesse noch einen Kuß gegeben.

»Im ›Calypso‹ läuft ›Ödipussy‹«, sagte Mom. »Und im ›Potjemkin‹ eine Wiederholung von ›Ghandi‹. Den wollten wir doch immer noch mal sehen«, und sie fing an, die Küchenkräuter zu gießen.

»Hm«, sagte Dad wieder. Er hatte den politischen Teil aufgeschlagen und hörte nicht mehr so genau zu. Theo nahm den Teestrumpf aus der Kanne und zündete das Stövchen an.

»Übernächsten Montag«, sagte Mom. »Ich habe die Abende durchgecheckt, und nächste Woche ist dicht mit meinem Tiffany und Tai chi, und du hast eine Besprechung und ein Essen. Und Freitag willst du ja wahrscheinlich in die Sauna.«

»Mhm«, sagte Dad hinter seiner Zeitung. »Und am Wochenende?«

»Zu voll«, sagte Mom. »Da steht man doch mindestens eine halbe Stunde in der Schlange, und wenn man drankommt, gibt's nur noch Karten für Schulmädchenreport, siebter Teil. Nöö, am Wochenende find ich nicht gut.«

»Aber Montag geht nicht«, sagte Dad immer noch hinter seiner Zeitung. »Also das mit der Quellensteuer ist doch die Sauerei des Jahrhunderts. Ich möchte wissen, wer *die* Regierung danach noch wieder wählt.«

Theo stellte die Kanne und das Stövchen auf sein Teetablett und kippte den Inhalt des Teestrumpfs in den Mülleimer. Dann schnappte er sich den Kandis.

»Wieso geht das nicht?« fragte Mom, und jetzt stellte sie sich einfach ganz dicht vor Dad hin und nahm ihm die Zeitung aus der Hand. »Im Kalender steht nichts drin. Sag nicht, da mußt du schon wieder Japaner durch die Lokale führen!«

Dad schüttelte den Kopf. »Da ist das Meeting wegen dem Asylantenheim«, sagte er. »Bresewitz hat mir eben Bescheid gesagt. Die treffen sich da im Gasthof ›Landhaus‹ und besprechen, ob sie eine Initiative gründen sollen. Einladungsflugblätter sind in den nächsten Tagen im

Kasten, sagt Bresewitz. Überall hier in der Gegend.«
Theo stellte den Kandis zurück und schob das Tablett auf
die Arbeitsplatte. Ganz leise. Dad saß mit dem Rücken
zu ihm und kriegte nichts mit.

»Und mußt du dahin?« fragte Mom. »Dienstag können
wir nicht gehen, da ist Tiffany, und wer weiß überhaupt,
ob die Filme Mittwoch noch laufen.«

»Ich finde schon, ich sollte gehen«, sagte Dad und nickte
zweimal. »Erstens kann ich das Bresewitz gegenüber nun
überhaupt nicht mehr begründen, wenn ich da nicht wenigstens mal komme, um mich zu informieren. Und zweitens, wer weiß denn, was für ausländerfeindliche Radika-
linskis da ihre Parolen schreien? Da kann ich ja vielleicht
mäßigend wirken, denke ich. Irgendwie finde ich, das ist
meine Pflicht.«

Hinter Dads Rücken hörte man es schnauben.

»Mäßigend!« sagte Theo. »Damit sie die Entfernung der
Flüchtlinge aus unserem Blickfeld gemäßigt betreiben
und nicht radikal. Aber betreiben werden sie sie eben
doch!«

»Du unterstellst mir doch wohl nicht etwa, daß ich auch
gegen diese Asylanten bin?« schrie Dad.

»Flüchtlinge!« schrie Theo zurück. »Sag doch verdammt
noch mal wenigstens Flüchtlinge!«

»Du bist ja so verflucht halsstarrig!« sagte Dad. »Du bist
ja so bockig, mein Gott, ich kann tun, was ich will, immer
vermutest du das Schlimmste! Nur du selber bist natürlich
reinen Herzens und mit allen Einsichten gesegnet! Wann
kommst du endlich aus der Pubertät? Oder ist das immer
noch der Ödipuskomplex?«

»Lenk nicht ab!« brüllte Theo. »Versuch doch bloß nicht,
davon abzulenken, daß du schon von Anfang an versucht

hast, dich an diesen Bresewitz ranzuschmeißen! Den Nachbarn gefallen, das willst du, endlich dazugehören, ach, es ist ja alles so durchsichtig«, und jetzt klang es fast, als ob er schluchzte.

Dad antwortete nicht sofort. Er saß ganz still, aber die Muskeln in seinem Gesicht zuckten, und ich wäre am liebsten rausgegangen.

»Sag das noch mal«, sagte er dann. Ganz leise. Ganz beherrscht. »Damit wir uns richtig verstehen. Sag das noch mal. Du unterstellst mir, daß ich meine Überzeugungen verrate, nur um den Nachbarn zu gefallen? Das unterstellst du mir?«

Theo holte tief Luft. Seiner Stimme konnte man anhören, wie schwer es ihm fiel zu sprechen.

»Wir haben uns mißverstanden«, sagte Theo. »Das unterstelle ich dir keineswegs. Nicht *nur* um den Nachbarn zu gefallen. *Auch* deswegen. Aber hauptsächlich, weil du das Haus kaufen willst. Weil dich die Immobilienpreise hier in der Gegend plötzlich interessieren. Deshalb änderst du deine Überzeugung. Und ohne es überhaupt zu merken! Und ohne dich zu schämen!«

»Theo!« rief Mom. »Immerhin sprichst du mit deinem Vater!« Aber da war Theo schon aus der Küche gerannt.

Das Tablett stand noch immer auf der Arbeitsplatte.

Ich habe irgendwas gemurmelt und bin auch gegangen. Ich verstehe Theo nicht. Ich halte diese miese Stimmung nicht aus.

Jasim

Bis der Bescheid vom Bundesamt kam, glaubte Jasim George nicht. Ach, George lachte so viel! Er konnte nicht alles ernst nehmen, was er sagte.

In Zbigniews Bett schlief jetzt ein Iraner. Sie wußten nicht, warum Zbigniew weg war, ob er anerkannt war und sich jetzt eine Wohnung suchte und Arbeit, wovon sie alle träumten. Aber es war besser jetzt. Der Iraner sprach kein Englisch, aber er redete mit ihnen, wie es ging.

Der Iraner war ein Dichter. Er hatte Gedichte auf Flugblättern verteilt, und sie hatten ihn erwischt. Sie hatten ihn gefoltert.

»Warum hat er sich erwischen lassen«, sagte George. »Ich verstehe nicht, wegen Gedichten. Man muß nicht Gedichte schreiben. Er soll aufhören, Gedichte zu schreiben.«

Den Brief vom Bundesamt übersetzte George. Da glaubte Jasim ihm. Sein Antrag auf Asyl sei unbegründet, hieß es darin. Daß er ausreisen müsse, binnen einem Monat.

Ich verstehe nicht, sagte Jasim. Sein Antrag war nicht unbegründet. Er war gegangen und hatte seine Familie zurückgelassen, und es hatte ihm weh getan, wie ihm noch nie etwas weh getan hatte in seinem Leben. Er war gegangen, weil er in seinem Land nicht mehr leben konnte.

Deutschland, hatten sie gesagt, war ein gutes Land, ein reiches Land. Wenn einer keine Heimat hatte, konnte er dort eine finden.

»Hab keine Sorge«, sagte George. »Dein Anwalt wird Widerspruch einlegen, und sie werden den Widerspruch

bearbeiten. Eine Weile kannst du auf alle Fälle noch hierbleiben.«

Aber eine Weile, dachte Jasim, ist mir nicht genug. Er
legte das Schreiben zu seinen Papieren. Von der Wand,
mit einer Reißzwecke angepinnt, lachte das Foto seiner
Schwester ihn an.

Lisa

Liebe Trinki,
good news! Oder hat Christina Dir schon erzählt, daß ich in unseren Ferien nach F. komme? Tinas Mami und Papi sind einverstanden, denk mal an. Mami und Papi, jchch!
Hier steht zur Zeit die Schule kopf, weil übermorgen Klassenfest ist. Mich hatten sie zur Ausschmück-Gruppe eingeteilt, zusammen mit vier anderen Frauen, aber Gott sei Dank haben die mir nicht mal Bescheid gesagt, wo sie sich treffen, um den Kram vorzubereiten. Und gefragt hab ich nicht. Wenn sie mich wollen, müssen sie sich schon melden.
Liebe Trinki, in zwei Wochen bin ich schon in F., da können wir dann endlich mal wieder reden.
Freust Du Dich auch so?

Deine Lisa

Lisa an Kathrin
27. Februar

PS. Glaubst Du, daß Mom und Dad sich hier schon total gut eingelebt haben? Mit den Nachbarn links duzen sie sich, und Mom hat tausend Kurse belegt, zu denen sie abends regelmäßig verschwindet. Sie sagen, Großstadt ist eben doch was anderes. Sie begreifen überhaupt nicht, wieso ich so gräßliches Heimweh habe. Typisch. L.

Das war es dann eben, das Klassenfest. Wer behauptet denn, daß Klassenfeste Spaß machen müssen? Wer ist überhaupt auf den Gedanken gekommen, daß unbedingt zweimal jährlich Klassenfeste stattfinden müssen, mindestens?

Ich weiß nicht, ob eine Welt ohne Atomkraftwerke eine bessere Welt wäre, wie Theo immer behauptet (natürlich, da ist er mit Dad einer Meinung!), oder eine Welt ohne Treibgas im Spray – aber eine Welt ohne Klassenfeste, so viel ist sicher, wäre hundertprozentig eine bessere Welt!

Ich hab ja geahnt, wie es laufen würde. Ich hab ja geahnt, daß es beschissen laufen würde, und deshalb wollte ich schon gar nicht gehen. Am Vormittag hat mich die Waldmann noch zur Seite gezogen, auf dem Flur vor der Klasse.

»Habt ihr euch was für die Dekoration einfallen lassen?« hat sie gefragt. »Da bin ich ja schon gespannt!«

Diese Verlogenheit! Als ob es ihr nicht scheißdrecksegal wäre, wie die Klasse heute abend geschmückt ist, die geht doch nur, weil es ihr Job ist. Und warum fragt sie *mich*? Warum nicht Nina, wenn es sie wirklich interessiert? Jeder weiß, daß Nina hier der Chef ist. Aber sie wollte natürlich wieder einen auf pädagogisch machen, mir zeigen, daß sie mich auf der Rechnung hat, die Neue einbeziehen – bei so was muß ich immer aufpassen, daß ich nicht kotze. Fehlt nur noch, daß sie mir zuflötet, wenn ich mal Probleme hätte, könnte ich selbstverständlich jederzeit zu ihr kommen. Dann könnte ich meinen Magen wirklich nicht mehr ruhig halten.

»Keine Ahnung, was die mit der Dekoration gemacht haben«, habe ich gesagt und mit zwei Fingern mein Kaugummi ganz lang aus dem Mund gezogen. »Echt keine Ahnung!«

Das hat sie begriffen. »Ach so«, hat sie gesagt und mich angeguckt. »Weißt du, Lisa, du bist jetzt sechs Wochen hier – ich will ja nicht mit dem erhobenen Zeigefinger kommen...«

»Genau«, hab ich gesagt. »Das ist immer gut«, und ich hab mich umgedreht und bin gegangen. Mein Kaugummi habe ich noch mal so schmatzend platzen lassen.

Da war ich endgültig sicher, daß das Fest nichts für mich war. Allein bei der Vorstellung, daß die Waldmann da womöglich wieder so ein einfühlsames Gespräch mit mir anfangen könnte, haben sich mir die Nackenhaare gekräuselt. Wetten, die meint, sie tut mir damit was Gutes?

Und dann hab ich an die andern gedacht. Wie die sich über die Salate hermachen und über die kalten Minutensteaks und den Tsatsiki und das Popcorn. Und dazu garantiert irgendwelche blöden Sprüche, und dann wird das Licht ausgemacht und getanzt, und ich muß mit irgendeinem stoffeligen Zwerg durch den Raum schieben, der mir ständig auf die Füße tritt im Takt irgendeiner Melodie, die nur er selber hört, jedenfalls nicht zu der aus dem Lautsprecher – und ich dachte, daß ich mich da schon lieber auf die nächste Englischarbeit vorbereiten würde. Ich war sicher, das würde mir um ein Zigfaches mehr Spaß machen, garantiert.

Aber Mom mußte sich wieder einmischen.

»Natürlich gehst du zu dem Fest!« sagte sie energisch, als ich ihr erklärt hatte, wie langweilig es da vermutlich sein würde und daß ich außerdem in Englisch sonst keine Chance hätte, besser als Fünf zu schreiben. »Du kannst doch nicht immer nur arbeiten! Jeden Nachmittag sitzt du in deinem Zimmer, nie bist du mal mit Freunden weg, da fängt man ja richtig an, sich Sorgen zu machen! Und wo ihr da nun schon mal ein Fest habt, da gehst du auch hin. Bei keiner anderen Gelegenheit lernt man so leicht neue Leute kennen wie auf Festen, glaub mir. Heute abend kommst du wieder und sagst, die sind doch alle gar nicht so blöde.«

»Ach, scheiß drauf«, sagte ich. Aber ich wußte, wenn es Mom um mein seelisches Wohlbefinden ging, ließ sie nicht locker, und wenn ich mich jetzt noch eine halbe Stunde sträubte, würde ich eben nur eine halbe Stunde später zum Fest kommen. »Du wirst sehen, es wird der absolute Reinfall.«

Mom zuckte die Achseln, und ich ging ins Schlafzimmer, ihre Klamotten durchgucken. Schließlich entschied ich mich für ihre schwarzen Jodhpurs. Wenn ich da schon hinmußte, wollte ich wenigstens so aussehen, daß keiner gegen mich ankam, keiner, am wenigsten diese krummbeinige Nina.

Und ich sah gut aus. Ich glaube nicht, daß irgendeine von den anderen Jodhpurs hat, und dazu trug ich so ein schwarzes Seidentop mit Spaghetti-Trägern. Und schwarze Ballerinas und ein ziemlich kräftiges Make-up. In Schwarz sieht man sonst immer gleich aus wie tot.

»Mein Gott«, sagte Mom, als ich in der Küche erschien. »Glaubst du, das ist der richtige Aufzug für ein Klassenfest? Glaubst du, die andern gehen auch so?«

»Klar«, sagte ich, obwohl ich das doch nun wirklich nicht hoffen wollte. »Die Mädchen alle.«

»Aber paß auf die Hose auf«, sagte Mom. »Die ist mein bestes Stück. Und nimm dir wenigstens noch eine Jacke mit, in dem Top holst du dir sonst noch den Tod.«

»Okay, okay«, sagte ich und zog mir den Mantel über.

In der Schule waren die ersten schon da. Nina und ihre Clique hatten sich viel Mühe gemacht; wer die Klasse im Normalzustand nicht kannte, hätte nicht mal ahnen können, wo hinten und wo vorne war. Vor der Tafel stand das kalte Büffet, und hinter provisorisch befestigten Vorhängen lagen stapelweise Schaumstoffkissen und Matratzen. In F. hätte ich nichts dagegen gehabt.

Natürlich starrten sie alle, als ich vor der Tür meinen Mantel auszog. Es war ein gutes Gefühl. Ich ließ den Mantel ganz langsam von den Schultern rutschen, und bevor ich ihn an den Haken hängte, guckte ich sie alle der Reihe nach an. Wie beim Striptease. Und keiner haute ab.

Elisabeth war die erste, die etwas sagte. »Toll siehst du aus«, sagte sie. »Aber hast du keine Angst, daß du dich erkältest?«

Ich zuckte nur die Achseln. Einer der Spaghetti-Träger rutschte mir von der Schulter. So gut hatte ich mich schon lange nicht mehr gefühlt.

Aus der Klasse kamen sie einer nach dem anderen, um mich zu bestaunen. Als letzte kam Nina.

»Na ja«, sagte sie und grinste. Sie war nicht anders angezogen als sonst auch, und das waren eigentlich die meisten. Dann lachte sie los. »Paß auf, daß dir der Arsch nicht abfällt! In der Kniekehle hängt er schon!«

Die anderen lachten, als wäre das ein starker Witz.

»Die Hose gehört ihrer Oma!« sagte Sabrina. »Kleidergröße 54, an den Waden zusammengeschnürt!«

»Das sind Jodhpurs!« sagte ich wütend. »Noch nie gehört?«

Nina grinste immer noch. »Aber schön, daß du dich für uns extra hübschgemacht hast«, sagte sie. »Oder was du dafür hältst«, und sie verschwand wieder in der Klasse.

»Mach dir nichts draus«, sagte Elisabeth tröstend. »Ich find's toll.«

»Halt's Maul«, sagte ich und schob an ihr vorbei in die Klasse.

Es ist bestimmt nicht so, daß mir das alles gleichgültig war. Am liebsten hätte ich mir auf der Stelle wieder meinen Mantel angezogen und wäre gegangen. Aber den Triumph gönnte ich ihnen nun auch wieder nicht.

Als die Waldmann kam, war alles schon gut in Gang. Die Teller waren zur Hälfte leer gegessen, Salatblätter und Tomatenviertel lagen einsam am Rand, und nur die Negerkußpyramide hatte noch keiner angerührt.

»Oh, Lisa«, sagte die Waldmann und sah mich verblüfft an. »Dich erkennt man ja kaum wieder.«

»Sie hat gedacht, es ist Fasching«, sagte Tracy und lächelte mich dabei gewinnend an. »Sie hat von den Vorbereitungen nicht so viel mitgekriegt, da hat sie nicht gemerkt, daß es keine Faschingsfete ist.«

»Therese«, sagte die Waldmann ärgerlich. »Das war jetzt wirklich gemein.«

Vor der Kuschelecke klatschte Nina in die Hände. Im Hintergrund sangen die Communards »You were always on my mind«. Es gibt keinen Sänger der Welt, auf den ich so abfahre wie auf Jimmy Somerville, schwul hin oder her. Ich fand es schwierig, nicht zu heulen.

»Damit das Tanzen gut abgeht«, sagte Nina mitten in die Musik, »haben wir uns was ausgedacht.« Sie holte einen Zylinder hinter dem Vorhang vor und schüttelte ihn. »Weil wir weniger Mädchen sind als Jungs, haben wir alle

Mädchennamen auf Zettel geschrieben. Ein paar Zettel sind Nieten. Jeder Junge zieht jetzt einen Zettel, und entweder er hat einen Namen drauf oder eine Niete. Wer ein Mädchen hat, tanzt mit ihm, wer eine Niete zieht, kann sich eine Tänzerin abklatschen, wenn Birte die Musik ausschaltet. Nicht zwischendurch. Ready?«

Die anderen murmelten, und die Jungs gingen artig zum Zylinder und zogen ihr Los. Daß das nun das fetzigste Spiel der Saison war, konnte keiner behaupten, aber offensichtlich sind sie hier bereit, jeden Mist mit sich machen zu lassen. Die ersten Mädchen waren schon aufgefordert, und ich sah die restlichen Jungs an, die jetzt ihre Zettel auffalteten, und stellte mir vor, daß ich vielleicht mit dem dicken Hubert tanzen mußte, der immer so schnaufte, oder mit dem zwergenhaften Juli.

Nimm deinen Lauf, Schicksal, dachte ich resigniert. Und zum nächsten Klassenfest soll Mom dann doch bitte selber gehen. Damit sie mal sieht, was für ein Meer von Trostlosigkeit das hier alles ist.

Aber es wurde noch schlimmer, als ich gefürchtet hatte. Der dicke Hubert stürzte strahlend auf Tracy zu, und Juli der Gnom schob mit Elisabeth durch den Raum. Auf den Matratzen hinter dem Vorhang hockten fünf Jungs, beguckten ihre Zettel und lachten und tuschelten.

Da dachte ich noch nicht mal was Schlimmes, so blöd kann ich sein. Ich stand in meinen Jodhpurs und meinem Top direkt neben dem Büffet und versuchte gelangweilt auszusehen. Was gar nicht so einfach ist, wenn man eine Gänsehaut vom Hals bis zu den Zehen hat und sich nach nichts auf der Welt mehr sehnt, als nach einer kuscheligen warmen Wolljacke, ganz egal, wie sie aussieht.

Dann hörte die Musik auf zu spielen, und die fünf

Frauenlosen hinter dem Vorhang stürzten sich mit wilden Kampfschreien ins Getümmel, um sich eine Dame abzuklatschen. Es gab ein Geschiebe und Gejohle und »ach-nein-bitte«-Schreie, dann fing die Musik wieder an, und das Tanzen ging weiter. Fünf andere Jungs hockten auf den Matratzen hinter dem Vorhang. Und ich stand noch immer mit meiner Gänsehaut neben dem Büffet, und allmählich wurde mir einiges klar.

Jeder weiß, wer die Frauen sind, die beim Tanzen am Rand sitzen bleiben. Mauerblümchen, die, mit denen keiner tanzt. Die mit den ungewaschenen Haaren, mit dem nicht funktionierenden Deo, die mit den verschreckten, ängstlichen Augen, die Streber mit Kleidung aus dem Billigladen; die Elisabeths, um die die Jungs einen Bogen machen, die späteren Fräulein Waldmanns.

Nur daß diesmal Elisabeth tanzte. Und Fräulein Waldmann auch. Wer nicht tanzte, war ich.

Meine Gänsehaut wurde schlimmer, aber die warme, kuschelige Wolljacke war mir auf einmal ganz egal. Ich starrte auf die Jungs hinter dem Vorhang, die nicht mit mir tanzen wollten, und auf die Jungs auf der Tanzfläche, die vorhin nicht mit mir getanzt hatten. Und ich begriff, daß es so weitergehen würde, das ganze Klassenfest lang.

Die Musik hörte auf, und auf der Tanzfläche ging wieder das Gerangel um die Mädchen los. Fünf Jungs versammelten sich hinter dem Vorhang, und ich merkte plötzlich, wie sie alle zwischendurch zu mir hersahen, die Tänzer und die Nichttänzer, schnell und verstohlen und so, als beachteten sie mich in Wirklichkeit gar nicht.

Die Musik ging an. »Halt, halt, halt!« rief Nina irgendwo mitten zwischen den Tanzenden, und dann drängelte sie sich zum Rand und schaltete die Anlage aus. »So geht das aber nun wirklich nicht, Jungs! Das sehe ich ja jetzt erst, daß da fünf nicht mitmachen, und dabei steht hier immer noch ein Mädchen und wartet!«

Ich hätte sie erwürgen können. In solchen Augenblicken muß man ganz cool bleiben und sagen, ach danke, Schatzi, aber da danke ich doch wirklich meinem Schöpfer, daß ich nicht gezwungen bin, mit einem von diesen Pipifurzen Engtanz zu machen! Und dann lächeln und so ganz lässig über die Schulter zurückwinken, ciao!, und gehen. Und alle stehen und starren dir nach und merken: Ihre kleine Verarsche ist nach hinten losgegangen, sie konnte dich nicht treffen, dafür bist du viel zu cool. So müßte es sein.

Aber in Wirklichkeit war es natürlich anders. In Wirklichkeit stand ich da und brachte nicht ein Wort heraus, wie sie mich da mit ihren Blicken umzingelten und kicherten und flüsterten.

»Los, Jungs!« rief Nina munter. »Da muß ja schon gleich zu Anfang einer geschummelt haben, ihren Namen hatten wir jedenfalls aufgeschrieben, aber na gut, der war dann wohl zu feige für so viel Schönheit!«

»Nina!« sagte Fräulein Waldmann. Sie stand am Rand und sah hilflos aus. Bis jetzt hatten die Jungs brav mit ihr getanzt, und da hatte sie auch noch mitgespielt, aber jetzt wuchs die Situation ihr über den Kopf, und es war deutlich, daß sie nicht wußte, wie sie gleichzeitig mich und das Klassenfest retten konnte.

»Mutige vor!« rief Nina und zeigte mit dem ausgestreckten Arm auf mich, als priese sie ihre Ware an. »Los, Jungs!«

»Wer weiß, was der alles in der Hängehose hängt!«

brüllte der dicke Hubert, und dann wollten sie sich alle totlachen.

»Es tut mir ja so leid für dich«, sagte Nina und kam auf mich zu, und gleichzeitig stürzte die Waldmann sich auf Nina.

Aber da hatte ich mich schon weggedreht und war gerannt. Ich riß meinen Mantel vom Haken und rannte aus dem Gebäude, und das einzige, was ich gerade noch geschafft habe, war, mit dem Heulen erst auf der Straße anzufangen. Nie in meinem Leben habe ich mich so klein und schäbig und gedemütigt gefühlt.

Natürlich konnte ich nicht gleich nach Hause gehen. Dann hätte Mom mich wieder mit ihrer Fragerei überschüttet, und das war das Letzte, was ich jetzt brauchen konnte. Wenn ich Geld mitgehabt hätte, wäre ich in irgendein Kino gegangen, mitten in die laufende Vorstellung, und hätte im Dunkeln geheult. Das war ein wunderbarer Gedanke, aber natürlich hatte ich kein Geld bei mir, und darum konnte ich mich nicht mal in ein Café setzen und mich mit Cappuccino und Sahnetorte trösten.

Die nächsten zwei Stunden lief ich einfach heulend und zähneklappernd durch die Straßen und verfluchte unseren Umzug in diese fürchterliche Stadt und das hauchdünne Top, das am Zähneklappern und vielleicht auch an der Heulerei bestimmt ebenso schuld war wie diese eklige Nina und ihre Bande dummer kleiner Jungs.

Zu Hause hörte ich Mom im Eßzimmer telefonieren. Ich stürzte ohne Gruß die Treppe nach oben ins Badezimmer und ließ mir Wasser einlaufen mit viel Schaum. Moms Sachen schmiß ich auf den Boden. Jetzt einfach eintauchen und aufwärmen und an nichts mehr denken und mit keinem reden.

Aber dazu dürfte man natürlich keine Familie haben.

»Lisa!« sagte Mom, gerade als ich den ersten Fuß vorsichtig durch das knisternde Schaumgebirge ins heiße Wasser steckte. »Mein Gott, die Jodhpurs hättest du aber wirklich vernünftig weghängen können!«

Ich zog das zweite Bein nach und ließ mich ganz, ganz langsam ins Wasser gleiten. Nichts ist so tröstlich wie ein heißes Schaumbad. Alle Schwierigkeiten sind plötzlich belanglos, und diese wohlige Müdigkeit überkommt einen, die mich immer ganz gleichgültig macht gegen alles, was außerhalb dieser warmen, duftenden Wasserwelt liegt.

»War's schön?« fragte Mom und legte die Jodhpurs über dem Arm zusammen. »Hast du nette Leute kennengelernt?«

Mit einem Ruck setzte ich mich auf und öffnete die Augen. »Kann man denn hier nicht mal in Ruhe baden?« sagte ich wütend. »Ich erzähl's dir schon noch, keine Sorge!«

Mom guckte mich prüfend an. »Also nicht so gut«, sagte sie.

»Verdammt, ich erzähl es dir schon noch, hab ich gesagt!« brüllte ich. »Mußt du denn immer hinter mir herschnüffeln!«

»Lisa!« sagte Mom. Aber ihre Stimme klang eher bekümmert als wütend. Dann zuckte sie die Achseln und ging.

Und ich versuchte, wieder in dieses warme, gleichgültige Badewannenfeeling zu kommen. In Physik habe ich heute morgen auch eine Fünf zurückgekriegt.

Jasim

Dann lag unten in der Halle, auf dem Tisch, auf dem die
Post ausgelegt wurde, eine Karte für ihn.

»Jasim!« stand darauf.

Auf der Vorderseite eine von diesen grauen Kirchen, von
denen es so viele gab in diesem Land, vor einem blauen
Himmel, wie er ihn hier noch nie gesehen hatte.

Daß Jasim ihn besuchen sollte, schrieb Mirja. Daß er in
einer Sammelunterkunft lebte, nur zwei Stunden entfernt. Mit der Bahn.

»Post von einem Freund?« fragte George. Er saß auf seinem Bett und ordnete seine Papiere. In letzter Zeit ordnete er immer häufiger seine Papiere, und seine Bewe-
gungen waren fahrig dabei.

»Ich kann ihn besuchen!« sagte Jasim. Dieses Land
würde seine Heimat werden. Zuerst war alles Neue
fremd, aber er würde die Menschen kennenlernen; er
würde arbeiten dürfen; und hier und da würden alte
Freunde sein. »Er lebt auch in Deutschland.«

»Ach, ja?« sagte George. Er legte den letzten Umschlag
auf den Stapel und band zum Abschluß ein Gummi
darum. »Glaubst du, sie lassen dich reisen?«

»Wer?« fragte Jasim. Vielleicht wurde der Himmel hier
im Sommer tatsächlich so blau. Er würde gehen und sich
einige von ihren Kirchen ansehen. Vielleicht verstand er
sie dann besser.

»Zum Verlassen des Aufenthaltsbereichs muß die Er-
laubnis der Ausländerbehörde eingeholt werden«, sagte
George. »Sie wird aber nur dann erteilt, wenn zwingende
Gründe es erfordern. Besuche bei Freunden und Ver-

wandten in einem anderen Kreis oder Bundesland werden nicht erlaubt. Verstehst du das?«

»Nein«, sagte Jasim.

»Du mußt hierbleiben«, sagte George. »Du darfst die
Stadt nicht verlassen. Das hat man dir erklärt.«

Jasim schüttelte den Kopf. »Ich fahre trotzdem«, sagte
er.

Wer würde schon etwas merken? Er würde mit Mirja reden, als kleiner Junge hatte er Mirjas Schwester geliebt.
Wenn sie in der Nähe war, hatte er auf den Boden gestarrt. »Nur für zwei Tage.«

George zuckte die Achseln. »Es ist verboten«, sagte er.

Lisa

Lieber Maik,
das wird heute nur ein kurzer, müder Brief von mir.
Danke schön für Deinen, natürlich mußt Du Dich nicht
dafür entschuldigen, daß er kurz ist, jetzt sehen wir uns ja
demnächst schon wieder! Wenn ich nicht so schrecklich
erkältet wäre, würde ich mich kaputtfreuen.
Die Erkältung ist natürlich Mist, aber wenigstens muß ich
seit drei Tagen nicht zur Schule, und dafür halte ich ein
bißchen Fieber schon gerne aus! Du kannst Dir überhaupt nicht vorstellen, was für ein Sumpf das hier ist, aber
das erzähle ich Dir dann.
Neulich war Klassenfest – absolut trostlos, glaub mir!
Diese kleinen Knaben, mit denen man da tanzen soll, und
dann haben sie sogar noch allen Ernstes eine Schmuse-
ecke aufgebaut! Ich bin nach einer halben Stunde gegangen, was mir zu blöd ist, ist mir zu blöd. Sollen die doch
erst mal erwachsen werden, dann können sie mich ja vielleicht wieder einladen.
Natürlich finde ich es toll, daß Ihr jetzt so viele Auftritte
habt, obwohl ich mir schon vorstellen kann, daß Fa-
schingsfeten nicht gerade das Gelbe vom Ei sind. Aber
irgendwie muß ja jede Band mal anfangen, oder? Solange sie von Euch keine Schunkellieder verlangen, ist
doch alles paletti.
Trotzdem finde ich es ein bißchen schade, daß Du auch
jeden Abend spielen mußt, wenn ich in F. bin, aber es
gibt schließlich auch noch die Nachmittage, und ich kann
ja überall mit hingehen und Dich sehen und hören, das
finde ich eigentlich ganz toll. Wahrscheinlich bin ich dann
irrsinnig stolz auf Dich!

(Und daß Ihr vielleicht einen Auftritt absagt? Nur einen einzigen? Weil ich es doch ganz schön fände, wenn wir mehr Zeit zusammen hätten...
Mußt Du mal sehen.)
Ach Maik, mir geht's ziemlich blöde, ich hör jetzt auf. Ich freue mich ganz wahnsinnig auf den Elften. Weißt Du überhaupt noch, wie ich aussehe? Vom Anfühlen ganz zu schweigen!
In überdimensionaler Sehnsucht
XXXXXXXX Lisa

Ich hasse Erkältungen, ich hasse sie, ich hasse sie, ich hasse sie!

Mein Kopf ist ein zugeschwollener roter Klumpen, die Haare durfte ich mir seit drei Tagen nicht mehr waschen (»Da wird die Erkältung nur noch schlimmer!« sagt Mom. »Hier sieht dich doch keiner!« Doch, ich! Ich! Ich!), und meine Nase schuppt an den Rändern weiß vom vielen Naseputzen. Wenn ich in den Spiegel gucke, muß ich heulen. Natürlich ist es gut, daß ich nicht in die Schule muß – bei dem Gedanken graust es mir wirklich. Aber muß ich dafür einen so hohen Preis bezahlen, mit Triefnase und trockenem Husten und Augen wie Schweinchen Dick?
Im Augenblick kann ich mir nicht vorstellen, wie Maik mich in einer Woche überhaupt nur wiedererkennen soll.
Maik! Als Mom heute mittag seinen Brief auf meine Bettdecke gelegt hat, konnte ich plötzlich wieder glauben, daß es dieses andere Leben in F. tatsächlich gegeben hat und auch diese andere Lisa, die mehr Freunde hatte, als

Lisas Tagebuch
4. März, abends

sie zum Geburtstag einladen konnte, und die auf Klassen-
festen sicher keinen Mangel an Tänzern litt. Manchmal
muß ich mir das richtig sagen: Es hat sie gegeben, diese
Lisa! Und es wird sie, verdammt, wenn ich nur irgendwas
damit zu tun habe, auch wieder geben.

Aber manchmal ist es so schwer zu glauben. Dann sehe
ich wieder und wieder diese Jungs hinter dem Vorhang,
wie sie kichern und tuscheln, und es wird mir ganz
schlecht.

Darum war der Brief heute mittag auf meiner Decke ja
auch so wichtig für mich: als Gruß aus diesem anderen
Leben, und solange es das gibt, kann das hier mir doch
alles gestohlen bleiben.

Und dann habe ich den Brief gelesen. Ja gut, er schreibt,
daß er sich darauf freut, daß ich komme. Aber sonst geht
es wieder nur um die Gruppe, welche Auftritte sie in letzter Zeit gehabt haben und daß sie auch die drei Abende,
die ich da bin, auftreten werden. Daß er das ungünstig
findet.

Ungünstig! Hätte er nicht einen, wenigstens *einen* Abend
freihalten können? Ich komme vier Stunden mit der
Bahn, ringe mich sogar durch, bei Christina zu wohnen,
und Maik spielt Schlagzeug!

Mom und Dad dürfen das gar nicht wissen. »Alte Liebe
rostet nicht«, sagt Dad immer und wirft Mom schmach-
tende Blicke zu. »Aber junge Liebe dauert nicht, glaub
mir! In deinem Alter verliebt man sich heute, um morgen
den nächsten zu haben, und das ist auch ganz richtig so!
Und bei jedem glaubt man, daß er der Richtige ist, der
Einzige, der Mann fürs Leben. Das war schon bei uns so,
und das wird auch bei euch nicht anders sein.«

Der Spruch hat mich die letzten Wochen in F. wahnsinnig

gemacht. Das einzige, was mich da über den Umzug trösten konnte, war der Gedanke, daß Maik mir im Herbst
nachkommen würde, aber darüber war mit Dad natürlich
nicht zu reden. »Junge Liebe dauert nicht!« Woher er
wohl immer so genau weiß, daß alles so bleibt, wie es zu
seiner Zeit war. Alles kann sich ändern, alles! Und nur,
weil Dad kein Mädchen länger als drei Tage ertragen hat
(was finstere Einsichten in seine mangelnde Bindungsfä-
higkeit zuläßt), muß das bei Maik schließlich nicht auch
so sein.
Ich muß Maiks Brief noch mal lesen. Immerhin hat er am
Schluß wieder mit tausend Küssen unterschrieben. Und
sowieso schreibt Maik nicht gerne Briefe. Wenn ich erst
mal da bin, wird es schon alles okay sein. Nur noch sieben
Tage.

Und schließlich hat er mir doch gerade noch den Ohrclip *Mitternacht*
geschickt, oder? Warum hätte er das denn tun sollen,
wenn er nicht...
Es ist nur dieses blöde Klassenfest, das hat mich ganz
durcheinandergebracht. Und damit haben sie genau das,
was sie wollten! Ein Glück, daß Mom mich noch ein paar
Tage zu Hause läßt. Bei denen tauche ich erst wieder auf,
wenn meine Nase wieder meine Nase und mein Hals ab-
geschwollen ist. Ganz cool. Damit ja keine Mißverständ-
nisse entstehen.

Lisa an Liebe Trinki,
Kathrin nur noch fünf Tage! Beinah albern, daß ich Deinen Brief
6. März da überhaupt noch beantworte.

Mir geht es immer noch mies. Den Hauptgrund erkläre ich Dir, wenn ich in F. bin, ich mag jetzt nicht darüber reden, ich mag nicht. Und außerdem war ich krank. Fieber, Erkältung – auf alle Fälle hat es gereicht, um fast eine Woche in der Schule zu fehlen. Für meine Leistungen ist das sicher nicht das Optimale, aber da ist ohnehin nichts mehr zu retten, und das stört mich komischerweise nicht mal so besonders. Ich habe so viel anderes im Kopf.

Morgen muß ich nun aber wieder hin, länger läßt Mom nicht mit sich reden. Ich hatte gehofft, daß ich es vielleicht bis zu den Ferien schaffen würde, aber meine Nase läuft eben nicht mehr, und Fieber kriege ich auch keins mehr hin.

Gestern hat sogar eine aus meiner Klasse hier angerufen, Elisabeth die Beharrliche, hab ich von der schon mal geschrieben? Zum Glück habe ich gerade geschlafen, so daß Mom mit ihr geredet hat.

»So ein nettes Mädchen!« hat sie gesagt, als ich noch nicht mal richtig aufgewacht war. »Warum hast du mir von der denn nicht mal erzählt? Warum bringst du sie denn nicht mal mit zu uns? Warum gehst du nicht mal zu ihr?«

»Weil sie Scheiße ist«, hab ich gesagt und den Kopf wieder halb unter die Decke gesteckt.

»Lisa!« hat Mom gesagt. »Also weißt du! Auf mich hat das Mädchen am Telefon einen netten Eindruck gemacht. Sie wollte sich nur mal erkundigen, wie es dir geht, hat sie gesagt. Und ob sie mal vorbeikommen soll, um dir zu erklären, was ihr gerade durchnehmt. Aber ich konnte ihr ja sagen, daß das nicht nötig ist, weil du übermorgen wiederkommst.«

»Gott sei Dank«, hab ich gemurmelt.

»Nur das mit dem Klassenfest hab ich nicht begriffen«, hat Mom gesagt. »Du bist doch gar nicht so früh gegangen, oder? Und daß viele die Aktion überhaupt nicht gut fanden, soll ich dir ausrichten. Und die Waldmann hätte noch mal mit der Klasse gesprochen. Worüber denn um Himmels willen, Lisi? War was?«

Ehrlich, diese blöde Elisabeth! Was mit dem Klassenfest war, erzähl ich Dir dann in F., aber wie kommt die dazu, mit Mom so einfach über meine Schwierigkeiten zu reden?

Und gegen so eine Kuh mußte ich Dich nun eintauschen, Trinki! Ach, was bin ich froh, daß wir bald wieder reden können! Wir müssen nur sehn, was wir in der Zeit mit Christina machen.

Nur noch fünf Tage, Trinki, nur noch fünf Tage!

Lisa

Jasim

Es war leicht gewesen, zu Mirja zu kommen.

Im Zug verbrachte Jasim die ganze Zeit im Waschraum. Sie hatten ihm erklärt, daß durch die Waggons Kontrolleure gingen, die nachsahen, ob man eine Fahrkarte besaß. Wenn nicht, mußte man eine kaufen. Oder man bezahlte Strafe.

Natürlich besaß Jasim keine Fahrkarte, wovon hätte er sie kaufen sollen. Aber es war nicht unangenehm im Waschraum, sauber, es roch nach Reinigungsmitteln, und der Spiegel über dem kleinen Waschbecken war blank. Jasim wußte nicht, ob er noch aussah, wie er ausgesehen hatte. Das Gesicht im Spiegel war sonderbar fremd, sonderbar dunkel. Er würde sehen, ob Mirja ihn erkannte.

Auf dem Bahnhof gab es keine Kontrollen mehr. Das Schwierige war der Zug, das hatten sie ihm erklärt. War man erst auf dem Bahnsteig, war die Gefahr vorbei.

Der Himmel in Mirjas Stadt war so blau, wie Jasim ihn in diesem Land noch nie erlebt hatte. Es wurde also Frühling.

Mirja erwartete ihn am Zaun. Natürlich erkannte er ihn! Sie lachten und redeten und liefen durch die Straßen. Oh, dies war eine schöne Stadt, schöner als seine. Vielleicht würde er später herziehen, immer ganz in Mirjas Nähe sein.

Es war schwierig, am Pförtner vorbei und aufs Zimmer zu kommen. Man brauchte einen Heimausweis. Und über Nacht durfte kein Besuch bleiben.

Mirja hatte ein Zimmer ganz für sich allein, das gab es also! Es gab viel Gutes in diesem Land, man mußte nur Vertrauen haben.

Die Nacht schlief Jasim auf dem Boden. Aus den Neben-
räumen hörte er Stimmen und Musik, und hier störten sie
ihn nicht.

»Du wirst mich auch besuchen«, sagte er zu Mirja. Irgendwie würde es gehen. Jetzt, wo sie sich getroffen hatten.

Mirja brachte ihn bis zum Bahnhof. Er stand und winkte,
als der Zug abfuhr. Es wurde schon dunkel, und um den
Bahnhof herum gingen die ersten Lichter an. Es war eine
schöne Stadt gewesen.

Der Waschraum war besetzt. Jasim überlegte, ob er
durch den Waggon gehen und es beim nächsten versu-
chen sollte. Dann stellte er sich ans Fenster und sah nach
draußen.

»Ihre Fahrkarte, bitte«, sagte der Kontrolleur.

Jasim drehte sich um. Der Mann trug eine Uniform. Er
lächelte und streckte die Hand aus.

»Haben Sie keine Fahrkarte?« fragte der Kontrolleur.
»Möchten Sie eine Fahrkarte kaufen?«

Jasim zuckte die Achseln. Er schüttelte den Kopf.

»Kommen Sie doch bitte einmal mit«, sagte der Kontrolleur.

Lisa

Was für ein beschissener Tag! Theo ist immer noch nicht zu Hause, aber wenigstens sind Mom und Dad jetzt im Bett. Da gibt es also wohl hoffentlich keinen Zusammenstoß mehr.

Heute morgen war ich zum ersten Mal wieder in der Schule – ich kann gar nicht sagen, wie mir davor gegraut hat! Ich hatte extra diesen neuen Benetton-Pullover angezogen, und für das Make-up habe ich länger gebraucht als vor einer Fete. Sie können mir alle gestohlen bleiben, habe ich mir auf der ganzen Busfahrt immer wieder gesagt. In vier Tagen bin ich in F., da sind meine Freunde, die hier können mir doch alle gestohlen bleiben.

Als ich die Tür geöffnet habe, drängelten sich mindestens zehn Mann an der Seitentafel, um zuzuhören, wie Elvira Mathe erklärte. Für mich war das sowieso aussichtslos. Ich schlängelte mich zu meinem Platz, und keiner hob auch nur den Kopf.

Bin ich denen so gleichgültig? Haben die das Klassenfest schon total vergessen? Daß ich mit Strahlegesicht »Guten Morgen allerseits« flöte, damit mich mal endlich jemand beachtet, können sie doch wohl kaum erwarten!

An unserem Tisch saß Elisabeth und schrieb aus Julis Heft die Hausaufgabe ab. Das machte sie mir direkt mal sympathisch.

Ich hängte meine Tasche an den Tischhaken und setzte mich hin.

»Wieder da?« fragte Elisabeth. Dabei guckte sie die ganze Zeit abwechselnd auf ihr Deutschheft und auf das von Juli. Mich sah sie nicht an.

»Mmh«, sagte ich.

»Ich hab versucht, dich anzurufen«, sagte Elisabeth. »Sag mal, Juli, was heißt das hier? Diskriminierung? Disziplinierung? Kannst du dir keine bessere Klaue zulegen?«

»Zeig her«, sagte Juli. »Diskriminierung. Ist doch logisch, oder? Was sollte da denn Disziplinierung wohl bedeuten? Das paßt doch gar nicht!«

»Glaubst du, ich achte darauf, was ich abschreibe?« sagte Elisabeth ungeduldig und hatte ihren Kopf schon wieder über dem Heft. »Ich will bloß was vorzulesen haben, wenn ich das Pech habe dranzukommen.«

»Ja, das gleiche wie ich«, sagte Juli. »Und wenn sie uns nun beide drannimmt?«

Ich dachte, daß das doch endlich mal ein bißchen Vergnüglichkeit in die langweiligen Deutschstunden bringen würde. Die beiden könnten schwören, daß sie nicht voneinander abgeschrieben hätten. Alles nur Seelenverwandtschaft. Deutschlehrer müßten an so was doch eigentlich glauben.

»Dann geb ich's zu«, sagte Elisabeth. »Das ist gar kein so schlechtes Stück, oder? Dieses ›Andorra‹?«

Nein, bitte, nein! dachte ich. Erst immer ihre Carepakete, und jetzt fängt sie noch literarische Konversation mit mir an.

»Keine Ahnung«, sagte ich. »Ich hab's nicht gelesen.«

Aber gleichzeitig hatte Juli auch schon geantwortet. Und den hatte sie mit ihrer Frage natürlich auch gemeint. Hätte ich mir ja denken können.

»Das erste gute seit der sechsten Klasse«, sagte Juli. »Weißt du noch, Wilhelm Tell?«

»Oder der Schimmelreiter!« sagte Elisabeth. »Huuu!«

»Ich find den Schimmelreiter geil«, sagte ich. Nur so.

Und obwohl ich das Buch nie zwischen die Finger gekriegt habe. Aber nun soll diese Streberdame doch bloß
nicht so tun, als ob ihr jemals irgendwas in der Schule
mißfallen hätte. Da hat sie ihren Finger doch bestimmt
genauso dauernd in der Luft gehabt wie bei »Andorra«.
Der ist der Arm doch schon so gewachsen. Die hat da seit
Geburt einen falschen Muskel eingesetzt.

Leider konnten wir unser kleines gebildetes Plauder-
stündchen nicht weiterführen, weil die Deutschdame her-
einkam, und außer, daß sie mich einmal ungefragt auffor-
derte, meine Meinung zu sagen, verlief die Stunde durch-
schnittlich.

Überhaupt der ganze Vormittag. Kein Mensch sprach
mich auf das Klassenfest an, keiner war anders als sonst.
Die haben das tatsächlich schon vergessen. Die haben das
vergessen! Ich bin froh, daß Freitag die Ferien anfangen.

Besonders, wo zu Hause die Stimmung auch schon wieder obermies ist. Und natürlich ist wieder Theo daran
schuld mit seiner ständigen Einmischerei. Den sollen sie
doch ins Internat schicken! Oder ihm wenigstens das
Geld geben, daß er ausziehen kann, dann herrscht zu
Hause endlich mal Frieden.

Ich hatte völlig vergessen, daß heute abend dieses Meeting im »Landhaus« sein sollte. Dad ist abends so oft weg,
da frage ich mich schließlich nicht immer, wo er sein
könnte. Ich sah mir zuerst mit Mom die Serie im Fernse-
hen an, dann kochte ich mir noch einen Hibiskustee und
legte mich auf den Kuschelteppich in meinem Zimmer.

Vor dem Fenster schien tatsächlich mal der Mond, und
ich legte mir mindestens zehnmal hintereinander »Suzanne« auf und dachte an Maik.

And just when you mean to tell her / that you have no love to give her / then she gets you on her wavelength / and she lets the river answer / that you've always been her lover...

Das kann man nur bei Kerzenlicht hören, und das kann man nur im Liegen hören, und die ganze Zeit muß man aufpassen, daß da nicht irgendwas mit einem passiert, irgendwas – Maik! Ich glaube, wir dürfen diesmal diese Platte nicht zusammen hören, du. Ich weiß nicht, was dann losgeht, ich schwör's. Ich habe immer gedacht, ich möchte es zum ersten Mal im Sommer tun, irgendwo auf einer Wiese, Mohnblumen und Margeriten und Kornblumen um uns herum, mannshoch, und der Geruch nach geschnittenem Gras, das Summen der Bienen und irgendwo im Hintergrund ein Kuckuck...

Aber solche Wiesen gibt es sowieso nicht mehr, und wo es sie gibt, sind sie am Rand zugeparkt von Ausflüglerautos. Wie sollten wir beiden da wohl einen Platz nur für uns finden?

Da soll es schon besser »Suzanne« sein, and you want to travel with her, and you want to travel blind, und dein Zimmer, Maik, aber wenigstens haben wir beiden das ganz für uns.

Da knallte unten die Haustür.

»Manfred!« rief Mom. Unsere Tür ist so alt wie das Haus, und im oberen Teil hat sie vier kleine, geschliffene Glasscheiben. Deshalb darf sie niemals zugeknallt werden, unter Androhung von Todesstrafe nicht.

»Ach, ist doch wahr!« sagte Dad, und ich hörte, wie er die Kühlschranktür aufriß. Wenn er wütend ist, geht er immer zuerst an den Kühlschrank. »Wie steh ich denn jetzt da!«

Ich legte vorsichtig den Tonarm des Plattenspielers zurück und blies die Kerze aus. And you think maybe you'll trust him / for he's touched your perfect body with his mind.

Dad saß in der Küche am Tisch, die Tupperschüssel mit der Wurst vor sich, und aß. Mom lehnte mit dem Rücken an der Kühlschranktür.

»Laß uns noch was übrig!« sagte sie.

»Es ist unglaublich!« sagte Dad und knüllte das leere Papier vom Kasseleraufschnitt zusammen. »Und ohne mir vorher einen Ton zu sagen! Kommt da rein und tut, als wäre ich gar nicht da!«

»Wer kommt wo rein?« fragte Mom. »Nein, wirklich, Manfred, dann streich dir doch ein Brot! So viel Wurst ist nicht gut für deinen Cholesterinspiegel, von unseren Finanzen mal ganz abgesehen!«

»Theo«, sagte Dad und schob sich zwei Scheiben Lachsschinken auf einmal in den Mund. »Aber natürlich nicht alleine, o nein! Das muß der organisiert haben, ich wette darauf. Da blieb mir doch gar nichts anderes übrig, als in den Vorstand zu gehen, oder?«

Mom holte eine Bierflasche aus dem Kühlschrank und knipste sie auf. Dann schloß sie die Tupperschüssel und stellte die Flasche vor Dad hin. »Da, mein Schatz«, sagte sie. »Und nun erzähl mal.«

Dad seufzte und trank einen großen Schluck. Dann streckte er die Beine unter den Tisch und schüttelte den Kopf. »Unglaublich«, sagte er. Aber schon viel ruhiger.

Ich setzte mich auf den kleinen roten Plastikhocker, den Mom als Kontrast zu dem vielen Holz in die Küche gestellt hat.

»Also, es waren ziemlich viele gekommen, müßt ihr euch

vorstellen. Sie hatten den Saal im ›Landhaus‹ reserviert, und der war fast voll. Was mich zuerst natürlich gewundert hat. Aber ich denke, wenn es ihnen um ein ganz persönliches Anliegen geht, werden die Leute schon mobil.«

»Mmh, klar«, sagte Mom.

»Bresewitz hatte das ja organisiert, noch mit zwei anderen«, sagte Dad. »Und der hat dann zu Anfang auch geredet. Ganz vernünftig, doch, ehrlich. Man kann ihm wirklich nicht vorwerfen, daß er da gegen die Ausländer gehetzt hätte, ganz im Gegenteil. Er ist ganz sachlich geblieben, es ging nur um die Immobilienpreise, er hat auch immer wieder betont, daß die Asylbewerber ein Recht haben, hier zu sein, bis der endgültige Bescheid gegen sie ergeht, Grundgesetzgarantie und alles. Also, ich war ganz positiv überrascht.«

»So hab ich den Bresewitz aber auch eingeschätzt«, sagte Mom.

»Aber natürlich waren da auch ein paar Scharfmacher dabei«, sagte Dad und beugte sich über den Tisch. »Ist ja nicht anders zu erwarten, bei hundertfünfzig Leuten! Du wärst erschrocken gewesen, was da zum Teil noch so zutage tritt. Rassismus in Reinkultur! Da mußten wir anderen, denen es wirklich nur um die Sicherung ihres Eigentums geht, uns schon ein bißchen abgrenzen. Ich habe dann auch einiges gesagt.«

»Ja, wirklich?« sagte Mom. »Das hätte ich gerne gehört.«

Dad nickte zufrieden. »Ich hab meinen Standpunkt dargelegt«, sagte er. »Als einer, der gerade dabei ist, hier Eigentum zu erwerben. Daß es mir nur darum geht, daß dieser Besitz nicht ständig und rapide an Wert verliert, weil in der Umgebung ein Heim steht, in dem man nicht ganz koschere Dinge zumindest vermuten darf. Drogen zum Beispiel. In welchem von diesen Häusern wird denn nicht gedealt? Und daß es sich unter diesen Umständen doch jeder Vater halbwüchsiger Kinder zehnmal überlegt, ob er sich hier ein Haus kauft, wunderschöne Gegend hin oder her.«

»Ehrlich?« sagte ich verblüfft. »Du meinst, da gibt es Stoff?«

»Aber dann«, sagte Dad, »habe ich ganz ausdrücklich betont, daß ich mich damit keineswegs gegen Ausländer, speziell Farbige, im allgemeinen ausspreche. Es geht um diese besondere Situation, um diese Zusammenballung! Ich habe betont, daß ich mich jederzeit dafür einsetzen würde, daß anderswo ein menschenwürdiger Ersatz geschaffen wird. Ich hab dann auch viel Beifall gekriegt.«

»Das kann ich mir denken«, sagte Mom.

»Es wurde auch ganz schnell deutlich, daß diese Position die Mehrheit hatte«, sagte Dad. »Natürlich, so ein paar Unverbesserliche waren dabei, du weißt ja noch, Friedrichs'! Aber die waren doch deutlich in der Minderheit. Die Mehrheit hatte ganz eindeutig nichts gegen Ausländer. Denen ging es nur um Besitzstandswahrung.«

»Mmh«, sagte Mom.

»Deshalb war die Geschichte ja auch so ungeheuerlich!« sagte Dad. »Ganz ungeheuerlich, und mein Sohn immer an vorderster Front!«

»Aber was denn?« fragte Mom ärgerlich. »Du spannst einen hier auf die Folter...«

»Bresewitz hatte gerade gesagt, daß man diese Initiative gründen müsse«, sagte Dad. »Um Nägel mit Köpfen zu machen, da kamen sie rein. Daß der Wirt sie überhaupt nach hinten gelassen hat!«

Er nahm seine Flasche und trank den Rest, und Mom ging zum Kühlschrank und holte die zweite.

»Sie hatten ein Transparent dabei«, sagte Dad. »Das haben sie ausgerollt. Acht oder zehn solche Bengels, Mädchen waren auch dabei, platzen da mitten in so eine Versammlung, haben sich keinen Ton angehört, kommen da nur hin mit ihren Vorurteilen gegen dieses Meeting und ohne jede Bereitschaft, die korrigieren zu lassen. Da war natürlich der Teufel los.«

»Aber was stand denn auf dem Transparent?« fragte Mom ungeduldig.

»Ich bin bestimmt der letzte, der etwas gegen Engagement einzuwenden hat«, sagte Dad. »Das weißt du am besten! Aber fair muß es bleiben, fair auch dem Gegner gegenüber. ›Freiheit ist immer die Freiheit des Andersdenkenden‹, Rosa Luxemburg. Aber davon haben diese Spinner natürlich nie gehört, die haben wir ja so großgezogen, daß sie sich alles rausnehmen durften, und nun siehst du das Resultat! Wenn wir früher irgendwo reingeplatzt sind und Sitzungen gestört haben, dann gehörte dazu immer eine Portion Mut!« sagte Dad und schlug auf den Tisch. »Wir mußten uns das erkämpfen! Aber diese, diese – diese Schnösel da...«

»Was stand denn nun auf dem Transparent?« fragte Mom.

»Nie wieder Faschismus«, sagte Dad und nahm die Flasche.

Mom antwortete nicht.

Ich zog meinen Hocker dichter zum Tisch. »Das war unsachlich«, sagte ich. Das habe ich in der Schule gelernt. Man darf kritisieren und demonstrieren, soviel man will, aber sachlich muß man schon bleiben. Und das ist immer unsachlich, wenn man irgendwas in diesem Land mit den Nazis vergleicht, weil das schließlich Greueltaten waren, damals, und so was kann in einer Demokratie nicht passieren.

»Natürlich war das unsachlich!« sagte Dad. »Und die Reaktion hättet ihr mal erleben sollen! Die konnten nur noch rausrennen, die Jungs, und das haben sie auch getan!«

»Meine Güte«, sagte Mom.

»Bresewitz hat sich zu mir rübergebeugt«, sagte Dad. »›War das nicht dein Sohn?‹ hat er gefragt. Da blieb mir doch gar nichts anderes mehr übrig, als in den Vorstand zu gehen, als wir dann diese Initiative gegründet haben, sag mal selber!«

Mom schüttelte den Kopf. »Aber ganz so furchtbar wie du kann ich diesen Auftritt nun auch nicht finden«, sagte sie. »Wirklich, Manfred, das sind Jungs...«

»Theo ist neunzehn!« sagte Dad. »In dem Alter muß man einfach wissen, wo die Grenzen sind! Und wenn es nur darum ginge, mich nicht bloßzustellen!«

»Ach, na ja«, sagte Mom. »Sicher war es nicht richtig von ihm, aber ganz so schlimm... Also was wollt ihr denn nun machen mit eurer Initiative da?«

Dad atmete aus. Es war ihm anzusehen, daß er viel lieber weiter über Theo gesprochen hätte.

»Alles, was da so möglich ist, um das Heim zu verlegen«, sagte er. »Auf allen Ebenen. Erst mal natürlich weiter Unterschriften sammeln und uns dann an die Gremien wenden. Wir haben zwei Anwälte im Vorstand, das sollte schon helfen.«

»Ja, wahrscheinlich«, sagte Mom.

»Und wir werden aufpassen«, sagte Dad, »daß da nicht so

ein falscher Ton reinkommt. So von wegen ›Ausländer raus‹. Das ist nicht unsere Absicht, und das muß auch ganz deutlich sein.«

»Ja, finde ich auch«, sagte Mom. »Das finde ich gut.«

Und ich saß da und dachte, daß nun der Krach zwischen Dad und Theo erst richtig losgehen würde. Und wie froh ich war, daß ich in vier Tagen schon in F. sein würde.

Jasim

»Mann Gottes!« sagte der Anwalt. »Sie müssen verrückt
geworden sein! Was soll ich da denn noch für Sie tun!
Gleich zwei Vergehen auf einmal!«
Jasim versuchte zu erklären. Von Mirja. Von der Post-
karte. Von Mirjas Schwester.
»Wie soll ich Sie denn da vertreten!« sagte der Anwalt.
»Kaum sind Sie in diesem Land, da setzen Sie sich leicht-
fertig über seine Vorschriften hinweg! Das wird Ihren
Fall nicht gerade erleichtern, ist Ihnen das klar? Und mit
finanziellen Folgen müssen Sie auf alle Fälle rechnen.«
Jasim überlegte, wie er die Strafe zahlen sollte. Er hatte
nicht einmal das Geld für die Fahrkarte, das sie jetzt von
ihm wollten.
»Geld verdienen?« sagte George. »Natürlich gibt es da
Möglichkeiten. Verschiedene. Aber Arbeiten ist nicht er-
laubt. Du machst dich strafbar.«
Jasim zuckte die Achseln. Das hatte George schon einmal gesagt.
»Sag, was ich tun soll«, sagte er.

Lisa

Liebe Christina,
wenn Du diesen Brief kriegst, bin ich schon fast bei Dir!
Ich fahre am Freitag nach der Schule, und mein Zug
kommt dann um 19.20 an. Du brauchst mich aber nicht
abzuholen, ich kenne mich schließlich aus, und der Weg
bis zu Euch ist ja nicht so weit.
Von meiner Mutter soll ich Deiner Mutter ausrichten,
daß ich selbstverständlich Bettwäsche, Handtücher usw.
mitbringe. Und daß Du hier jederzeit auch willkommen
bist.
Wo ich jetzt sowieso schon fast bei Dir bin, lohnt es ja
auch gar nicht mehr zu schreiben. Ich freue mich schon
auf unsere gemeinsame Zeit!
Viele herzliche Grüße,
Deine Lisa

Lisa an **Christina** *8. März*

Ankomme Freitag 19.20 – stop – freue mich wahnsinnig –
stop – räum Dein Zimmer auf – stop – Lisa

Lisa an Maik, Postkarte im Umschlag *9. März*

Maik eine Postkarte geschickt. Seit ich angefangen habe mir vorzustellen, was in diesen paar Tagen in F. alles passieren könnte, kann ich plötzlich nicht mehr richtig an Maik schreiben. Ich habe das Gefühl, er muß es an jedem Wort merken, man muß es dem Papier ansehen, an der Tinte riechen können.

War es richtig, daß ich das mit dem Zimmeraufräumen geschrieben habe? War das vielleicht zu deutlich? Rennt er jetzt rum und denkt, ach du Scheiße, ach du Scheiße? Und wenn er gar nicht will?

Oder versteht er vielleicht überhaupt nicht, warum ich das geschrieben habe, und denkt jetzt, ich lege plötzlich Wert auf gesaugte Teppiche und unterstütze seine Mutter in ihrem Ordnungstick?

Ich hätte die Karte lassen sollen. Übermorgen sehe ich ihn doch! Noch zwei Tage.

Aber ich wollte ihm unbedingt die Ankunftszeit schreiben. Ich will sein Gesicht sehen, da, auf dem Bahnhof. Er soll der erste sein, der mich zu Hause begrüßt.

Es ist so wichtig, daß alles gut wird. And you think maybe you'll trust him / for he's touched your perfect body with his mind...

Noch zwei Tage.

Jasim

Er holte die Rosen vom Blumenmarkt, morgens um fünf. Wenn abends Rosen übrigblieben – und es blieben immer Rosen übrig –, wickelte er sie bis zum nächsten Tag in feuchtes Zeitungspapier und stellte sie in eine leere Konservendose mit Wasser in seinem Zimmer. Der Waschraum wäre günstiger gewesen, aber man konnte nicht sicher sein, daß die Rosen dann am nächsten Tag noch vollzählig waren. Andere arbeiteten auch.

George saß den ganzen Tag auf seinem Bett und starrte seine Papiere an. Manchmal redete er vor sich hin, aber es war kein Englisch, und Jasim verstand ihn nicht.

»Warum verdienst du dir nicht auch Geld dazu?« fragte Jasim.

George schreckte hoch. »In diesem Land«, sagte er, »in diesem Land...« Dann sackte er wieder zusammen und ließ das Gummiband gegen seine Briefe schnappen.

»Es ist gut, etwas zu tun zu haben«, sagte Jasim. »Es ist nicht nur gut, weil es Geld gibt. Du mußt aufstehen, morgens, du kannst nicht liegenbleiben, bis es Mittag ist und Nachmittag und Abend, diesen Tag und den nächsten Tag und jeden Tag. Du mußt aufstehen! Du mußt nach draußen gehen, du mußt mit Menschen sprechen, du mußt lächeln. Du bist lebendig!«

Aber George antwortete nicht, und Fanjit lag auf seinem Bett wie jeden Tag, seit Jasim angekommen war.

Nur der Iraner war nie auf dem Zimmer. Es hieß, er liefe durch die Straßen und durch die Parks und schriebe Gedichte, die keiner verstand.

Lisa

Daß Mom immer so viel fragen muß! Während des ganzen Frühstücks hat sie immerzu nachgebohrt, wie es denn nun war in F.

»Erzähl doch mal!« hat sie gesagt. »Du hattest dich doch so darauf gefreut!«

Und ich bin ihr jetzt in den Ferien auch noch den ganzen Tag ausgeliefert, vierzehn Tage lang, jeden Tag von morgens bis abends. Das ist schon klar, daß sie was hören will, sonst gibt sie keine Ruhe.

Ich hab ihr erzählt, daß es mit Basti und Christina geklappt hat.

»Tatsächlich?« hat Mom gesagt. »Wie schön! Und wie geht es Maik?«

Tja, liebe Mutter, wie es Maik geht, das ist es eben.

»Gut«, hab ich gesagt. »Was hattest du denn gedacht?«

»Ja?« hat Mom gefragt. »Dann ist also alles in Ordnung? Das ist ja schön.«

»Genau«, hab ich gesagt und bin aufgestanden. »Du hast wohl nichts dagegen, wenn ich jetzt ein bißchen für die Schule arbeite«, und ich bin in mein Zimmer verschwunden.

Natürlich hat sie Verdacht geschöpft. Aber ich hoffe einfach darauf, daß sie so fair ist, mich mit ihren Fragen in Ruhe zu lassen. Noch deutlicher kann ich schließlich nicht werden.

Okay.

Ich bin am Freitag losgefahren, ziemlich gleich nach der Schule. Mom hat mich zur Bahn gebracht und mir noch eine Flasche Wein mitgegeben, für Tinas Eltern. Bis zur Abfahrt ist sie nicht geblieben; für die paar Tage lohnte kein feierlicher Abschied, und außerdem hatte sie einen Friseurtermin.

Die Fahrt war langweilig; ich hatte mir ein Buch mitgenommen, aber ich konnte mich nicht darauf konzentrieren. Ich habe nach draußen in den Regen gestarrt und versucht, mir vorzustellen, wie es wohl werden würde in F. Aber nicht mal dazu war ich ruhig genug, und darum bin ich in den Speisewagen gegangen und habe einen Tee getrunken. Ich glaube, irgendwas in mir drin wußte längst Bescheid.

Schon lange, bevor wir in F. ankamen, stand ich mit meiner Reisetasche auf dem Gang. Ich sah die Leuchtreklame der Zuckerfabrik und den angestrahlten Rathausturm, wie ich sie vor einem halben Jahr gesehen hatte, als wir von der Klassenreise an die Nordsee zurückkamen. Auf der Fahrt hatte es mit Maik und mir angefangen.

Auf dem Bahnsteig kam Christina auf mich zugerannt.

»Lisa!« schrie sie. »Hierher, hallo, Lisa!«

Ich hatte vergessen, wie klein sie ist und wie pummelig. Sie schafft es einfach nicht, ihre mausblonden Haare so zu fönen, daß sie auch sitzen, und ihre Stiefel konnte sie unmöglich zu der Hose tragen.

»Hallo, Christina!« schrie ich zurück. »Hallo, Tina!«

Wir fielen uns tatsächlich um den Hals, da auf dem Bahnsteig, und es war mir wirklich ernst. Obwohl sie so kläglich aussieht, die arme Christina. Dagegen ist diese beharrliche Elisabeth geradezu aufregend.

Sie wollte meine Reisetasche tragen, und ich sagte, ach, Quatsch, Blödsinn, und dann fiel es mir erst auf.

»Ist noch jemand hier?« fragte ich.

Christina sah mich an, als ob sie nicht verstand. »Meine Mutter wollte erst mit«, sagte sie. »Aber ich hab gesagt, wir schaffen das auch allein mit dem Koffer. Ich wollte doch mit dir reden, Lisa. Ich bin so froh, daß du ausgerechnet bei mir wohnst.«

»Ich auch, du«, sagte ich und suchte noch einmal mit den Augen den Bahnsteig ab, und dann hörte ich mir auf dem ganzen Weg zu ihr nach Hause an, was sie über Basti erzählte, aber mit den Gedanken war ich nicht dabei.

Ihre Mutter trug einen Schottenfaltenrock und eine weiße Bluse und hatte die Tür schon geöffnet, noch bevor wir durchs Gartentor waren.

»Lisa, wie schön!« sagte sie mit dieser sanften Stimme, bei der es in mir immer anfängt zu kribbeln, bis ich schließlich ganz aggressiv werde, »herzlich willkommen!«

Ich bedankte mich für die Einladung und überreichte meinen Wein, und dann wurde ich in Christinas Zimmer geführt, wo eine zweite Liege mit blütenweißem Spannbettuch und allem natürlich schon bezogen war. Ich habe Mom ja gleich gesagt, die ganze Schlepperei mit dem Bettzeug hätte ich mir sparen können. Aber Mom ist da immer so – uns soll keiner was nachsagen können, sagt sie.

Vom Abendessen zu erzählen, spare ich mir. Ich danke dem Himmel, daß ich nicht solche Eltern habe. Nein! Man hätte wirklich die ganze Zeit glauben können, Tina wäre erst fünf, so redeten die mit ihr. Da muß eine ja so

werden! Ich war höflich und habe meine besten Tischma-
nieren vorgeführt, und es war ganz klar: Diese Eltern waren von mir beeindruckt. So was kann ich gut.

Nach dem Essen sind wir in Tinas Zimmer gegangen.

»Und was machen wir jetzt?« hat sie gefragt. Ich habe
immerzu gewartet, daß das Telefon klingeln sollte, ich
hab versucht, es zu beschwören, aber dazu hat meine
Kraft nicht gereicht. Nur gerade für einen guten Eindruck bei den Eltern.

»Maik spielt heute abend im ›H‹«, habe ich gesagt. »Ab
neun. Wollen wir da nicht hin?«

»Ja?« hat Tina gesagt. »Aber wegen Basti...«

»Alles bestens durchdacht«, habe ich gesagt.

Und dann habe ich Basti angerufen und ihm erzählt, daß
er auch ins »H« kommen soll, aber er wußte längst Bescheid. Trinki und Thorsten hatten ihm gesagt, daß sich
da die ganze Clique treffen wollte, und Basti sagte, er
wäre schon halb da.

Tina wurde ganz aufgeregt. »Ich war noch nie im ›H‹«,
hat sie gesagt. »Was soll ich denn anziehen, Lisa?«

Und ich war ganz cool. Das hatte ich doch gewußt, sobald
ich in F. war, mußte alles wieder so laufen, wie es immer
gelaufen war. Ich fönte Tina die Haare und lieh ihr eins
von meinen Sweatshirts, und dann besprühte ich uns
beide ganz dezent mit Duftdeo, »Caribbean Dreams«.
Ich wette, so war Tina noch nie aus dem Haus gegangen.

Ihre Mutter guckte auch ganz komisch; wahrscheinlich
hatte sie gedacht, wir würden einen von diesen gemütlichen Familienabenden machen, und hatte die Salzman-
deln schon eingekauft. Protestiert hat sie aber wenigstens
nicht.

Im »H« war es voll. Sie haben das erst ganz neu eingerichtet, eigentlich ist es ein Café, aber an den Wochenenden treten Gruppen aus der Umgebung auf, und dann können sie ihre Klapperdisko im Gemeindehaus zumachen. Da gehen nur noch die Zwerge hin.

Okay.

Okay, jetzt muß ich erzählen, wie es war. Geheult habe ich ein bißchen in F. und die ganze letzte Nacht. Das ist gelaufen, jetzt, da bin ich drüber weg, okay. Also, wie es im »H« war. Da war es so.

Zuerst habe ich Maik gar nicht gesehen. Ich ging zwischen den Tischen durch, und überall saßen Leute, die ich von früher kannte. Ich dachte, sie müßten alle auf mich zugestürzt kommen und Begeisterungsschreie ausstoßen, aber die meisten hatten vermutlich noch nicht mal gemerkt, daß ich gefehlt hatte in der letzten Zeit. Jedenfalls schien sich kein Mensch zu wundern, daß ich auf einmal wieder da war.

Bis ich an Trinkis Tisch kam. »Lisi!« schrie Trinki und umarmte mich, und Thorsten klopfte mir immer wieder auf den Rücken.

»Was trinkst du?« fragte er.

»Gleich!« sagte ich und guckte mich um. »Haltet bloß Plätze frei!«

»Was glaubst du denn, was wir tun?« fragte Thorsten.

Und dann sah ich Maik.

Er kniete vorne zwischen der Gitarre und dem Keyboard und fummelte an den Kabeln.

Er sah so jung aus.

»Moment«, sagte ich zu Thorsten und Trinki.

Maik hatte eine Hose an, die ich noch nicht kannte, und ein durchgeschwitztes Hemd, und die Haare trug er ganz kurz und als Bürste. Und er sah so fürchterlich, fürchterlich jung aus.

Mich hatte er noch nicht entdeckt. Er sah auch nicht aus, als ob er nach mir suchte. Ich dachte an den Bahnsteig, auf dem er nicht gewesen war.

»Hallo, Maik«, sagte ich.

Neben Maik probierten sie die Anlage aus, und Maik hob im Knien die rechte Hand und gab dem Gitarristen ein Zeichen. »Noch mal«, sagte er. Er fummelte immer noch an den Kabeln.

»Hallo, Maik«, sagte ich wieder. Ein bißchen lauter diesmal.

Da guckte er hoch.

Jetzt weiß ich, daß er wirklich erschrocken ausgesehen hat, aber in dem Augenblick da im »H« war mir das nicht klar. Ich hatte seinen Ohrclip im Ohr und den Anhänger um den Hals. »Na?«

Ganz langsam richtete Maik sich auf, dann ging er einen Schritt auf den Rand des Podestes zu, auf dem die Instrumente aufgebaut waren, als wollte er zu mir nach unten springen. Im letzten Augenblick hielt er an. »Hi, Lisa«, sagte er.

»Hi«, sagte ich. Ich habe es nicht sofort begriffen. Ich habe gestanden und gewartet, und dann ist Maik nach unten gekommen, ganz langsam.

»Das geht gut ab heute abend«, hat er gesagt und einfach so vor mir gestanden. Die Hände hatte er in den Taschen, und als er sie herausgenommen hat, war es nur, um sich mit den Fingern durch die Haare zu fahren. »Ich komm nachher mal an euren Tisch, okay?«

»Okay«, hab ich gesagt. Ein Teil von mir. Die restliche Lisa stand daneben und sah zu und hörte zu und konnte nichts verstehen.

»Ej, Maik, was ist jetzt?« hat von oben einer gebrüllt.
»Kommst du noch mal über heute abend oder was?«
»Also, ja«, hat Maik zu mir gesagt und die Schultern
hochgezogen. »Also, ich muß mal eben – ich komm nachher an euren Tisch.«
»Okay«, hab ich wieder gesagt, und dann bin ich an Trinkis Tisch gegangen und hab mir selbst meine Cola bestellt.

später Theo hat mich unterbrochen. Er kam ins Zimmer in seiner verwaschenen dunkelblauen Jogginghose, bei der immer das Zugband übers Bündchen hängt, und lehnte sich
mit den Schultern gegen die Wand.
»Nimm's nicht so schwer, Schwesterkind«, sagte er.
»Ehrlich.«
Ich starrte ihn böse an. »Was denn?« sagte ich. »Kannst
du hellsehen oder was?«
Theo fuhr mit dem Zeigefinger den Türrahmen auf und
ab. »Nee, aber mal ehrlich, du«, sagte er. Er klang verlegen, wirklich wahr. Mein großer Bruder, das Genie, der
Streithammel der Familie klang verlegen. »Das war doch
irgendwie abzusehen, oder? Ich meine, wenn du nicht
drüber reden willst ...«
»Worüber denn, verdammt?« sagte ich böse. »Könntest
du mich bitte mal aufklären?«
»Gut, also gut, also gut«, sagte Theo und nahm seinen
Finger von der Tür. »Nur falls mal was sein sollte, Schwesterkind, ja? Auch wenn du das nie mitgekriegt hast, ich
hab Erfahrung in solchen Dingen.«
»Ja, ja, herzlichen Dank«, sagte ich. »Auch wenn ich
nicht weiß, wovon du redest.«

Da ist er gegangen. Aber vom Flur aus hat er noch mal
den Kopf durch die Tür gesteckt.

»Man kann sich hier einleben, weißt du«, hat er gesagt.
»Natürlich sind meine Leute für dich nicht interessant,
das ist mir schon klar, aber für dich gibt's doch auch welche. Und sonst kannst du auch gerne mal mit zu unserer
Ini kommen. Aus deiner Klasse war neulich auch schon
mal eine da. Die Schwester von Werner. Kann das sein,
Elisabeth?«

»Ja, danke, ich werd's mir überlegen«, sagte ich un-
freundlich.

Theo lachte. »Wirst du nicht«, sagte er. »Ich kenn dich ja.
Aber dann überlegst du dir eben was anderes, ja?«

»Okay«, sagte ich. Ich hatte gar nicht gewußt, daß Theo
schon wieder bei einer Initiative mitmachte, aber was
hätten die langhaarigen Schlabberpullover, mit denen er
rumhing, sonst auch wohl sein sollen. Meine Familie
scheint versessen auf Initiativen zu sein. Nur ich nicht.
Ich bin die einzige, die überhaupt nicht weiß, worauf sie
versessen ist.

Aber Theo ist wirklich ganz lieb.

Also, in F. Als ich an den Tisch gekommen bin, hat Trinki
mich gleich so angestarrt. Tina saß neben Thorsten und
hat sich mit ihm über Tennis unterhalten. Da hatte sie
tatsächlich Ahnung.

»Was sollte das denn sein?« hat Trinki geflüstert. »No kis-
ses in public oder wie?«

Da hab ich die Tränen gespürt. Sie kamen so langsam,
daß ich sie noch bremsen konnte, aber meine Augen haben sicher geglänzt, und Trinki hat mich angestarrt.

»Mensch, Lisi«, hat sie geflüstert. Unter dem Tisch lag
plötzlich ihre Hand auf meinem Bein, und irgendwie

machte das die Tränen nur noch schlimmer.

Ich bin sicher, Maik hatte sich unser Wiedersehen auch anders vorgestellt. Wenn er sich überhaupt was vorgestellt hatte.

Vorne fingen sie mit dem ersten Song an, und Trinkis Hand blieb auf meinem Bein und streichelte es ganz sanft. Ich konnte es gerade eben so schaffen, daß meine Augen nur glänzten, nicht mehr.

Basti kam erst Ewigkeiten später, und Basti hat mich gerettet. Plötzlich dachte ich, daß diese verfluchte Reise doch wenigstens irgendeinen Sinn gehabt haben sollte, und ich verwickelte Basti in ein Gespräch, und dann zog ich Tina mit rein, und als die beiden endlich redeten und Trinki und Thorsten tanzten, ging ich aufs Klo.

Mindestens zehn Minuten starrte ich in den Spiegel im Vorraum, und wenn keiner in den Klokabinen war, hab ich mich mit mir selber unterhalten.

»Gar nicht so schlimm, Lisa«, hab ich zu dem Gesicht im Spiegel gesagt. Es war ein reichlich fremdes Gesicht, kaum zu glauben, daß es irgendwas mit mir zu tun haben sollte. »Alles gar nicht so schlimm.«

Als ich an den Tisch zurückkam, lag Bastis Hand auf Tinas Hand und Tinas Kopf an Bastis Schulter. Basti hatte glasige Augen, ich wette, er hatte wieder ein Bier getrunken, und Tina hat das bestimmt genützt.

»Ach, Lisa«, sagte Tina verlegen, als ich mich wieder setzte. Aber ihren Kopf ließ sie, wo er war.

»Bitte keine Umstände«, sagte ich. »Machen Sie doch bitte meinetwegen keine Umstände.«

Tinas Vater holte uns um elf, da war die Musik noch nicht zu Ende. Ich unterhielt mich mindestens fünf Minuten angeregt mit ihm an der Autotür, um Tina und Basti eine

Chance für einen würdigen Abschied zu geben, dann fuhren wir los.

Hinterher lag ich in Tinas Zimmer im Bett und starrte an die Decke. Das war es nun gewesen. Neben mir berichtete Tina pausenlos von Basti, was er ihr alles erzählt hatte, was sie alles zusammen tun wollten, wie wunderbar er war. Durch einen Spalt zwischen den Gardinen kam das Licht einer Straßenlaterne herein und ließ die Umrisse von Christinas Möbeln erkennen, ihr Bücherbord, den Schaukelstuhl und den rotgestrichenen Schreibtisch. Irgendwas mußte noch passieren, bevor ich abfuhr, und darauf, daß Maik von sich aus kommen würde, brauchte ich nicht zu warten.

»Tina?« sagte ich. Mitten in ihre Erzählung hinein. »Ich geh morgen früh zu Maik.«

»Ehrlich?« sagte Christina. Sie klang nicht einmal böse, daß ich so einfach ihren Redeschwall unterbrochen hatte. »Das find ich gut, du. Wo er immer mit der Band unterwegs ist, könnt ihr sonst ja überhaupt nicht zusammensein, oder?«

»Deswegen ja«, sagte ich, und ich war froh, daß sie nicht darüber nachdachte, warum wir denn heute abend nicht wenigstens in den Pausen zusammengewesen waren. Aber Tina hatte zur Zeit anderes im Kopf.

Danach lag ich nur noch in meinem Gästebett und starrte auf den Schaukelstuhl und versuchte, mich an die Melodie von »Suzanne« zu erinnern. Aber sie fiel mir nicht mehr ein, und ich dachte, daß Mom schon immer gesagt hatte, das Lied wäre himmelschreiender Kitsch.

Lisa an Liebe Tina,
Christina jetzt bin ich schon drei Tage zurück und habe mich immer
17. März noch nicht für die Zeit bei Euch bedankt. Ihr wart alle
ganz furchtbar nett, sag das auch Deinen Eltern noch
mal, und daß ich Samstag mittag geheult habe, hatte
nichts mit Euch zu tun. Aber das kannst Du Dir ja sowieso denken.
Ich bin so froh, daß es mit Dir und Basti geklappt hat. Ich
finde, er ist ein richtig netter Junge, und Ihr paßt gut zusammen. (Vergiß nicht, was ich Dir über den Lockenstab
gesagt habe!)
Bestimmt sehen wir uns ja bald noch mal oder hören voneinander. Bis dahin wünsche ich Dir alles Gute,
viele herzliche Grüße, Deine Lisa

Lisas So, jetzt kommt auch noch der Schluß. Abgehakt ist ab-
Tagebuch gehakt, und ich will endlich durch sein damit.
17. März, Ich bin dann am Samstagmorgen zu Maik gegangen. Vor-
abends her angerufen habe ich nicht – vielleicht hatte ich Angst,
er würde sagen, er hätte keine Zeit.
Er stand in der Tür und starrte mich an, aber dann sind
wir in sein Zimmer gegangen, und Maik hat mir einen
Stuhl hingeschoben. Einen Augenblick lang hat er am
Plattenspieler gefummelt, aber dann hat er doch keine
Platte aufgelegt.
»Wie fandst du uns gestern?« hat er schließlich gefragt.
Da war es endgültig, und das war ja auch gut. Auf dem
Boden konnte ich noch einen Colafleck erkennen, den
ich irgendwann vor tausend Jahren gemacht hatte. Da-
mals hatten wir auf dem Teppich gesessen.
»Ganz gut«, sagte ich. »Ehrlich.«

»Und wie gefällt es dir da so?« fragte Maik. Sein Stuhl stand gerade so weit von meinem entfernt, daß wir uns nicht berühren konnten.

»Gut«, sagte ich. Besser als hier zur Zeit, hätte ich gerne gesagt. »Es gefällt mir ganz gut.«

»Na, Gott sei Dank«, sagte Maik. »Bei deinen Briefen hatte ich manchmal das Gefühl – also, die waren schon echt komisch manchmal.«

»Ach ja?« sagte ich. »Nee, ist ganz gut da.«

»Hier jetzt auch«, sagte Maik, und plötzlich wurde er ganz lebhaft. »Mit der Band und so, das geht gut ab. Im Herbst kaufen wir uns eine neue Anlage, dann mußt du mal kommen und uns hören! Dieses alte Ding gibt ja nichts her.«

»Mal sehen, kann ich machen«, sagte ich.

Im Herbst. Und ich hatte die Tage gezählt, bis er kommen würde. Alte Liebe rostet nicht. Aber junge Liebe...

Da konnte Dad sich ja mal wieder auf die Schulter klopfen.

»Ich muß los«, sagte ich. »Ich wollte nur noch tschüs sagen. Bei Christina essen sie früh.«

»Heute abend kommst du nicht mehr?« fragte Maik. Ich fand schon, daß er erleichtert klang. »Und morgen?«

»Nee, du, leider nicht«, sagte ich. »Ich wollte noch mal in Ruhe mit Trinki reden und mit tausend Leuten...«

»Ja, klar, logisch«, sagte Maik. »Na ja, wir hören ja voneinander.«

Dann hat er mir die Hand hingehalten, und ich hab sie geschüttelt.

»Mach's gut«, haben wir beide gesagt.

Auf dem Weg zu Christina habe ich mich am Teich auf eine Bank gesetzt, aber ich konnte nicht stillsitzen. Ich bin dann durch die Stadt gerannt, es gab drei neue Baustellen, überall waren Pfützen auf den Gehsteigen, und der Regen lief mir in den Kragen.

Ich glaube, auf dem Weg hab ich begriffen, daß es so ist, wie es ist. Ich bin zu Christina zurückgegangen und habe gehofft, daß ich ohne zu heulen durchhalte bis Montag.

Jasim

Zum ersten Mal schrieb Jasim nach Hause.
Was hätte er vorher auch schreiben sollen? Sie hatten so
große Hoffnungen gehabt.
Ich habe Mirja besucht, schrieb Jasim. Und wie schön
Mirjas Stadt war. Ein schönes Land!
Ich habe eine Arbeit gefunden. Die Leute hier sind reich.
Sie geben viel Geld für Rosen.
Er grüßte und bat um Fotos. Ich kann sie an meine Wand
hängen, schrieb Jasim.
Auf dem Weg zur Arbeit warf er den Brief ein. Vor neun
Uhr loszugehen, hatte keinen Sinn. Dann waren die Lo-
kale noch leer, und auch die wenigen Leute, die schon ihr
Essen bestellt hatten, waren noch nicht in der Stimmung,
in der man langstielige rote Rosen kauft.
Am besten waren die Abende am Wochenende, Freitag
und Samstag. Da saßen die Menschen entspannt, wenn
sie das konnten in diesem kalten Land, und gingen erst
spät. Freitags und samstags verdiente Jasim.
Er hatte seine Lokale. Es gab Restaurants, da ließen sie
ihn nicht hinein, und es gab andere, da waren sie freundlich. Jasim kannte sie schnell.
»Rosen?« fragte er und ging langsam durch den Mittel-
gang. »Rosen?«
Den Strauß hielt er vor der Brust, das Papier zurückge-
schoben.
Man konnte schon von weitem sehen, wer kaufen würde,
wer vielleicht und wer bestimmt nicht kaufen würde.
Daran, ob sie ihn anlächelten, ansahen, weiterredeten;
ob sie taten, als wäre er nicht da.

»Manfred!« sagte die Frau. Es kam ihm vor, als hätte er sie schon gesehen. »Guck mal, Rosen! Weißt du noch, in unserem ersten Urlaub...«

Jasim blieb stehen. Die Frau trug ein tomatenrotes Wollkleid und keinen Schmuck. Jasim lächelte sie an. Gerade eben, nicht zuviel. »Rosen?« fragte er.

»Komm, das muß doch nicht jetzt sein!« sagte der Mann. Er sah aus, als wäre ihm die Situation unangenehm.

Jasim stand ganz still, ein wenig nach vorn gebeugt, so daß der Duft der Rosen bis zum Tisch dringen konnte.

»Ach, Manfred!« sagte die Frau. »Kein bißchen romantisch bist du! Ich will sie nicht morgen aus dem Blumenladen, ich will sie jetzt, bei Kerzenlicht, als Geste – nun komm schon!«

»Also gut«, sagte der Mann. Er sah Jasim an, und Jasim erwiderte den Blick. Er hörte nicht auf zu lächeln.

»Wie viele?«

»Drei«, sagte die Frau, und Jasim hielt ihr den Strauß hin, damit sie sich die Blumen selber nehmen sollte. Der Mann zahlte.

Es war ein guter Abend, und sie erwischten ihn nicht.

Lisa

Das Schlimmste ist, daß ich seit F. meine Lieblingsplatten nicht mehr ertrage. Alle nicht!

Die letzten Tage bin ich trotz Regen durch die Straßen gerannt, aber wirklich nachgedacht habe ich nicht dabei. Ich konnte nur nicht stillsitzen zu Hause.

»Bist du verabredet?« hat Mom am dritten Tag gefragt.

»Mmh«, hab ich gemurmelt.

»Mit dieser Elisabeth?« hat Mom gefragt.

»Nee«, hab ich gesagt und bin gegangen.

Ich war in der Innenstadt und habe mir die Haare schneiden lassen, aber sehr hat es mich nicht getröstet.

Die letzten Tage in F. waren fürchterlich. Ich habe versucht, mich nach innen zuzumachen und so zu tun, als wäre ich wirklich nur wegen Tina und Basti gekommen. Auch vor mir selber.

»Aber willst du dich nicht noch mal mit Maik treffen?« hat Tina am Sonntag in einem ihrer lichten Momente gefragt. Da waren wir mit ihren Eltern spazierengegangen und hatten uns intelligent über allen möglichen Schnickschnack unterhalten, und schließlich hatten wir im Lokal Kaffee getrunken. »Seit gestern morgen hast du ihn nicht gesehen!«

»Nee, laß mal, Tina«, hab ich gesagt. »Das ist im Augenblick – das ist nicht so wichtig, okay? Und schließlich bin ich ja auch vor allem wegen dir und Basti gekommen.«

»Ach du, Lisa«, hat Tina ganz gerührt gesagt und mir natürlich jedes Wort geglaubt. Und dann hat sie mir erzählt, wo sie sich an diesem Abend mit ihm verabredet hatte, und ihren Eltern haben wir gesagt, wir gingen zusammen zu Trinki.

Da bin ich dann auch wirklich hingegangen. Allein.

Mit Trinki war es schwieriger.

»Komm rein«, sagte sie. Thorsten war nicht da, und dafür war ich ihr richtig dankbar.

Trinki hatte eine neue Tapete in ihrem Zimmer und ein Sofa, das ich noch nicht kannte.

»Gut«, sagte ich. Und dann redeten wir und tranken Earl Grey, und zwischendurch mußte ich Pausen machen, um nicht zu heulen.

»Aber ich begreif das nicht!« sagte Trinki. »Ich begreif das nicht, Lisi, er hat doch keine andere Freundin und nichts, er hängt da immer nur mit diesen Musikfreaks rum...«

Ich sagte nicht, daß ich es schon verstand. Und daß es ja nicht nur an Maik lag. Ich zuckte die Achseln und versuchte mich zu erinnern, wie das Zimmer früher ausgesehen hatte.

Danach redeten wir noch ein bißchen über Thorsten und über die Schule und über die Skireise und über die Läden bei uns zu Hause. Aber so richtig kam keine Stimmung mehr auf, obwohl Trinki eine Kerze angezündet und den Kassettenrecorder angemacht hatte. Ich war beinah froh, als es zehn war und Tina klingelte, weil gleich ihr Vater kommen würde, um uns abzuholen.

Am Montag bin ich dann gefahren, und das war es nun. Yessir. Und von jetzt an wird nicht mehr darüber geredet.

Nur Mist, daß hier die Stimmung auch nicht gerade bestens ist.

Gestern nachmittag klingelte es, und zwei Leute mit einer Liste standen vor der Tür.

»Hallo«, sagte das Mädchen. Der Junge war Elisabeths Bruder.

Immer diese Sammelei, dachte ich. Müttergenesungs-
werk und Deutsches Rotes Kreuz und der kleine Zirkus
Pirello.

»Wir gehen von Haus zu Haus, um Unterschriften zu
sammeln«, sagte das Mädchen. So schlecht sah sie nicht
aus. »Für die Flüchtlinge. Vielleicht hast du schon davon
gehört, einige Leute hier haben sich zusammengetan und
wollen die Flüchtlingsunterkunft hier weg haben, und wir
wollen beweisen, daß es nicht nur Menschen gibt, die gegen die Flüchtlinge sind.«

»Das ist Theos Schwester«, sagte Elisabeths Bruder
Werner.

»Ach so!« sagte das Mädchen. »Na, dann weißt du ja Bescheid.« Sie sah richtig erleichtert aus. Bestimmt ist es
nicht so furchtbar angenehm, bei fremden Leuten zu klingeln und die ganze Zeit zu wissen: Mindestens die Hälfte
schickt dich wieder weg, und manche knallen dir die Tür
vor der Nase zu.

»Unterschreibst du?« fragte das Mädchen.
Ich zuckte die Achseln. Ich kam mir richtig blöde vor.
Natürlich war es irgendwie gemein, daß diese Leute jetzt
schon wieder vertrieben werden sollten, aber ich dachte
auch an Dad und an Bresewitz und daran, wie wütend
Dad bestimmt sein würde, wenn er rauskriegte, daß ich
unterschrieben hatte.

»Ich bin noch nicht achtzehn«, sagte ich.
»Ist doch egal«, sagte das Mädchen und hielt mir aufmun-
ternd die Liste hin. »Spenden kannst du übrigens auch.
Wir planen ein Fest im Heim, in drei Wochen, da kann
jeder kommen. Daß man sich mal untereinander kennen-
lernt!«

Ich schüttelte den Kopf und sah nach unten. »Ich muß

mich da noch mehr informieren«, sagte ich.

Werner tippte dem Mädchen auf die Schulter. »Komm, Betty«, sagte er.

Das Mädchen bohrte weiter. »Und deine Eltern?« fragte sie.

Ich schüttelte den Kopf und hoffte, daß Mom im Keller weiter ihre Regale einräumen würde.

»Theos Vater ist im Vorstand von der Rausschmeißer-Ini«, sagte Werner. »Hat doch keinen Zweck, Betty.«

Betty nahm ihre Liste. »Aber zum Fest kannst du trotzdem kommen!« sagte sie energisch. »Da kannst du dich am besten informieren. Freunde kannst du auch mitbringen.«

»Mmh, mal sehen«, sagte ich, aber da hatte ich die Tür schon halb zugemacht.

Wenn ich mich nicht sehr getäuscht hatte, waren bei den Unterschriften die von Meta und Heinrich Kröger gewesen.

Lisa an
Kathrin
21. März

Liebe Trinki,

danke schön für Deinen langen Brief. Es ist lieb, daß Du Dir solche Gedanken um mich machst, aber mir geht es schon wieder viel besser, ehrlich wahr!

Und sei doch um Himmels willen nicht weiter so zu Maik – er kann nichts dafür und ich auch nicht. Es ist einfach sozusagen das Leben, okay?

Gibst Du Maik bitte den Ohrclip und den Anhänger von mir zurück? Aber so, daß es nicht irgendwie theatralisch aussieht, Du weißt schon. Einfach so, er begreift das schon, und ich könnte sie sowieso nicht mehr tragen. Danke schön.

Die letzten Tage habe ich mich hingesetzt und versucht rauszukriegen, wie ich hier jetzt in der Schule stehe. Ich hab mir meine Zensuren ja nirgends aufgeschrieben, und manche Arbeiten waren auf Zetteln, die ich längst weggeschmissen habe.

Es sieht ziemlich düster aus. Ich glaube nicht, daß ich mir irgendwo auch nur noch eine einzige Fünf erlauben kann.

Wir hätten nie hierherziehen dürfen, aber jetzt ist es eben passiert. Zurück geht auch nicht mehr.

Wenn ich mal besserer Stimmung bin, schreibe ich Dir einen fröhlicheren Brief. Sorry, Trinki.

Traurige Grüße, Lisa

Jetzt ist Dad auch dahintergekommen, was Theo mit seinen Freunden so treibt.

»Das meinst du doch nicht ernst?« hat er gebrüllt und ist die Treppe hoch zu Theos Zimmer gestürmt. Theo saß an seinem Schreibtisch, hatte Kopfhörer auf und wippte mit den Füßen.

»Ja?« hat er gesagt und die Kopfhörer abgenommen.

»Denkst du überhaupt noch manchmal nach, was du tust?« hat Dad gebrüllt. »Wir rackern uns da ab mit unserem Vorstand, und dann erzählt Bresewitz mir auf der letzten Sitzung, wie ihr da wieder querschießt! Mein eigener Sohn!«

»Ich versteh dich auch, wenn du leise sprichst«, hat Theo gesagt.

Ich lehnte am Türrahmen und hörte zu. Ich hatte nicht unterschrieben, und zu diesem Fest gehen wollte ich erst

Lisas Tagebuch *23. März*

recht nicht, aber jetzt wollte ich wenigstens hören, was die beiden zu sagen hatten.

»Ach ja?« sagte Dad gereizt. »Tust du das? *Hören* tust du mich vielleicht, das weiß ich ja nicht, aber von *Verstehen* kann doch wohl keine Rede sein!«

»Ja, ja, ja!« sagte Theo. »Wie mich das ankotzt! Was du wohl gesagt hättest, noch vor einem halben Jahr, wenn du von so einer Initiative gehört hättest wie der, bei der du jetzt im Vorstand sitzt!«

»Das kann ich dir nicht sagen«, sagte Dad, und man konnte sehen, wie schwer es ihm fiel, sich zu beherrschen. »Aber damals hatte ich ja auch noch nicht die Informationen, die ich heute habe! Heute ist mir klar, daß ich einfach idealistisch über die ganze Asylfrage gedacht habe, ohne die praktischen Konsequenzen zu überdenken. Das gebe ich gerne zu, da wußte ich einfach zu wenig!«

»Ach ja!« sagte Theo höhnisch. »Zum Beispiel wußtest du nicht, daß du dir mal dieses feine Haus in dieser feinen Gegend würdest leisten können!«

»Du solltest dich um dein Abitur kümmern!« brüllte Dad. »Anstatt deine Zeit mit spätpubertierenden Motzern zu verbringen, solltest du dich lieber um die Schule kümmern«, und er sauste so schnell an mir vorbei aus Theos Zimmer, daß er mich fast umgerissen hätte.

»Amen«, sagte Theo.

»Du darfst nicht immer so mit ihm reden«, sagte ich. »Das macht ihn ganz kaputt.«

Theo sah mich verblüfft an. »Ach nein?« fragte er. »Aber er mit mir, ja? Macht da mit bei dieser Ausländer-raus-Kampagne, aber mich...«

»Da will er ja grade aufpassen, daß es keine Ausländer-

raus-Kampagne wird!« sagte ich. »Du bist wirklich ungerecht, Theo!«
»Natürlich, natürlich, das redet er sich ein, damit sein
kleines Gewissen beruhigt ist!« sagte Theo, und seine
Stimme klang, als hätte er am liebsten ausgespuckt.
»Aber wie er redet, ist doch ganz egal! Was zählt, ist, was
er tut! Wobei er mithilft, der Herr mit der weißen We-
ste!«
»Und?« sagte ich.
»Hör mal zu, Lisa«, sagte Theo, »halt du dich da raus, ja?
Solange du nicht in dieser charmanten Sammelunterkunft gewesen bist, wo sie die Duschen im Keller nur einmal täglich für zwei Stunden benutzen dürfen, samstags,
sonn- und feiertags nie, solange halt du dich da raus!«
»Du bist ja so was von arrogant!« sagte ich. Aber wenn
das mit den Duschen stimmte, war es natürlich schon eine
Sauerei. Und Badewannen hatten sie da bestimmt auch
nicht. Ich mußte mich richtig schütteln. Was für eine
eklige Vorstellung.

Morgen fängt die Schule wieder an. Ich habe jetzt meine
Noten in allen Fächern ausgerechnet, und es sieht ziemlich trostlos aus.
Dad und Theo reden nicht mehr miteinander, und Mom
hält sich aus allem raus und macht Blumen und Schmet-
terlinge aus Tiffany.
Komisch zu denken, daß vor drei Monaten noch alles
ganz in Ordnung war.

Lisas
Tagebuch
27. März

Jasim

Natürlich hatte er gewußt, daß sie es taten. Alle redeten davon, und alle hatten Angst davor.

Aber daß es George passierte! George!

Der so lange hier war, der sich auskannte mit allem, der über alles lachte. Aber in der letzten Zeit hatte George nur noch auf seinem Bett gesessen.

Sie waren gekommen, als Jasim Rosen verkaufte, er hatte nichts gesehen. Er sah nur das leere Bett, als er zurückkam. Der ganze Flur sprach davon.

Es waren zwei Männer gewesen, sie hatten ein Schreiben mitgebracht. George hatte sich nicht gewehrt. Er hatte seine Sachen gepackt, so viel Zeit ließen sie ihm. Dann brachten sie ihn zum Flughafen.

»Aber ich verstehe nicht...« sagte Jasim. Seine Rosen hielt er immer noch im Arm. Er hätte sie ins Wasser stellen müssen.

»Er sitzt schon im Flugzeug«, sagte ein schmaler, dunkler Mann. Ein Eritreer, vielleicht? »George ist jetzt schon fast zu Hause.«

»Zu Hause!« sagte ein Türke. Ein paar andere lachten.

»Er hätte ausreisen müssen«, sagte der Eritreer geduldig zu Jasim. »Verstehst du? Als er den Gerichtsbescheid bekommen hat, daß sein Asylantrag offensichtlich unbegründet war, hätte er ausreisen müssen. Aber er hat die Zeit verstreichen lassen.«

Er hat dann immer nur noch auf seinem Bett gesessen, dachte Jasim. Er war schon so lange hier.

»Sie haben ihn einfach abgeschoben«, sagte der Türke. »Man bekommt einen Stempel in den Paß. ›Abgescho-

ben‹. Damit das Heimatland weiß, man war weg und hat
Asyl beantragt. Man wollte weg für immer.«

»Ja«, sagte Jasim. Er dachte an seine ersten Tage im
Heim. Asylschmarotzer, Scheinasylant, bist du das?
Wirtschaftsflüchtling.

George hatte alles gewußt. Warum hatte er nicht gekämpft?

Jasim nahm seine Rosen und füllte die Blechdose mit
Wasser. George hatte nicht gekämpft, weil es nichts mehr
zu kämpfen gab. Er war so lange hier, er hatte alles versucht. Aber nach diesem Urteil hatte er nur noch zwei
Möglichkeiten gehabt: freiwillig zurückzugehen oder zu
warten, daß sie ihn holten.

Da hatte George vier Wochen lang auf seinem Bett gesessen und seine Papiere durchgesehen; und gewartet, daß
sie kommen sollten.

Aber eine andere Möglichkeit hätte er gehabt, dachte Jasim. Eine andere Möglichkeit, wenn er nicht schon zu
müde gewesen wäre. George hätte tun können, was viele
taten, die Angst hatten zurückzukehren, vor dem Elend,
den Gefängnissen, der Folter, der Not.

George hätte untertauchen können.

Lisa

Liebe Lisa!

Jetzt schreibe ich wirklich an Dich, wenn Du einmal vierzig Jahre alt bist und Deine alten Knochen gegen Hexenschuß in Angora-Unterwäsche steckst.

Mom hat recht gehabt, als sie mir das Tagebuch geschenkt hat: Du solltest wirklich wissen, wie es mir geht.

Vorgestern hat die Schule wieder angefangen. Elisabeth saß an unserem Tisch und aß Apfelschnitze aus einer blauen Plastikdose. »Willst du?« fragte sie.

»Nee, laß mal, danke«, sagte ich. »Hattest du gute Ferien?«

»Langweilig«, sagte Elisabeth und sah mich ein bißchen erstaunt an. »Wir waren ja nicht weg. Und du?«

Ich zuckte die Achseln. »Auch langweilig«, sagte ich. »Richtig weg war ich auch nicht.«

Dann kam die Erdkundedame mit den Arbeiten, die sie uns ganz brutal noch drei Tage vor den Ferien hatte schreiben lassen. Und ich hatte eine Zwei!

»Yippieehhh!« schrie ich. Dann hielt ich mir die Hand vor den Mund. So geschrien hatte ich hier in der Schule noch nie. In F. schon. Da öfter.

Zwei Reihen vor mir drehte Tracy sich um und starrte mich an. Dann grinste sie. »Eins?« fragte sie.

»Zwei«, sagte ich, und sie grinste weiter und nickte und drehte sich zurück.

Mit ein bißchen Glück und mündlicher Beteiligung müßte ich in Erdkunde im Zeugnis noch eine Zwei schaffen können. Dann hätte ich schon den Ausgleich für eine

Fünf. Ich rede mit der Erdkundefrau und erkläre ihr, wie wichtig es für mich ist. Vielleicht läßt sie mich noch ein Referat machen, als Extraleistung. Kann sein, ich schaffe es doch noch, versetzt zu werden.

Mom ist nach Hause gekommen, und ich mußte ihr sofort von der Zwei erzählen. *abends*
»Lisa!« hat sie gesagt. »Wie toll!«
Ich habe überlegt, ob ich ihr auch von all den Arbeiten erzählen sollte, die ich bisher verschwiegen hatte, aber dann dachte ich, daß dazu bis zu den Zeugnissen noch Zeit genug war. Jetzt wollte ich einfach mal wieder das Gefühl haben, gut in der Schule zu sein.
»Darauf trinken wir einen Eierlikör«, sagte Mom.
Wir setzten uns in ihr schwarzweißrotes Wohnzimmer und legten eine Zeitung auf den Tisch, damit die Gläser und die Flasche keine Ringe machten.
»Gleich am ersten Tag nach den Ferien!« sagte Mom. »Das bringt Glück!«
»Ein neues Zeitalter bricht an«, sagte ich. Das hatte ich irgendwo gelesen.
»Willst du noch einen?« fragte Mom.
Ich schüttelte den Kopf, und Mom schenkte sich allein ein. Sie streckte die Beine aus und sah richtig entspannt aus.
»Ich bin so froh, daß wir hier sind«, sagte sie.
Ich wollte ihr widersprechen, aber dann zuckte ich nur die Achseln.

Lisas Tagebuch 4. April

Heute habe ich mit der Erdkundefrau gesprochen. Sie hat gesagt, sie will sich ein Referatthema überlegen, aber bis zur Zwei wäre es für mich sicherlich ein weiter Weg. Ich habe gesagt, es macht nichts, ich versuch's trotzdem.

Elisabeth hat in der Pause Einladungsflugblätter für dieses Flüchtlingsfest verteilt. Wenn ich ehrlich bin, fand ich sie mutig, wie sie da gestanden hat, ziemlich viele Leute haben blöde Bemerkungen gemacht. Erst wollte ich deshalb hingehen und mir ein Flugblatt nehmen, ganz egal, was ich davon halte. Aber dann war es mir zu peinlich.

In der Mathestunde hat sie mich gefragt, ob ich komme.

»Mal sehn«, hab ich gesagt. »Eigentlich müßte ich da...« Da hat mich der Mathemensch so drohend angesehen, daß ich aufgehört habe zu reden. In Mathe kann ich mir nun wirklich nicht erlauben aufzufallen.

Mich noch mal zu fragen, hat sie sich nicht getraut. Das Fest ist am Freitag, bis dahin kann ich mir die Sache ja wenigstens durch den Kopf gehn lassen.

Jasim

Der nächste Bescheid kam wie der erste, unerwartet.

Ein zweiter Iraner war jetzt in ihrem Zimmer, er hatte Georges Bett und sein Spind. Und alles mußte er noch lernen.

Offensichtlich unbegründet, hatte das Gericht entschieden. Jasims Asylantrag war offensichtlich unbegründet.

»Aber es ist nicht wahr!« sagte Jasim zu seinem Anwalt. Er erklärte ihm, warum er fortgegangen war, immer wieder, immer wieder. War das unbegründet? War das offensichtlich unbegründet?

»Wir werden kämpfen?« fragte Jasim. Er hatte jeden Monat fünfzig Mark gezahlt, der Anwalt mußte Lösungen wissen!

»Gegen diesen Bescheid sind keine Rechtsmittel möglich«, sagte der Anwalt. Immerhin auf englisch. Das ja. »Sie müssen binnen vier Wochen ausreisen, das ist endgültig.«

»Endgültig«, sagte Jasim und dankte dem Anwalt für seine Hilfe.

Auf dem Weg zurück zum Heim fror er zum ersten Mal nicht. Es war der erste wirkliche Frühlingstag, die Luft war weich auf der Haut und der Himmel blau wie auf Mirjas Karte.

Jasim nahm die Reisetasche und packte seine Sachen. Manches war neu, Kleidung für einen kalten Winter. Fast hätte der Reißverschluß sich nicht zuziehen lassen.

Er würde zu Mirja reisen. Mirjas Stadt hatte freundlich ausgesehen, wenn er untertauchen mußte, dann dort. Er würde Rosen verkaufen, abends, er würde Arbeit finden, irgendwo. Man konnte auch ohne Paß leben, und er würde sich nicht noch einmal erwischen lassen.

Auf dem Weg zur Haustür hielt Fanjit ihn fest. Fanjit, nicht auf seinem Bett!

»Wo willst du hin?« fragte Fanjit.

In der Halle feierten sie ihr Fest, afrikanische Musik, sie hatten gekocht und gebacken in den letzten Tagen, von nichts anderem war die Rede gewesen im Heim. Und jetzt feierten sie wirklich, es waren Deutsche gekommen, wie es diese jungen Leute vorausgesagt hatten. Vielleicht wurde später noch getanzt.

Aber Jasim drehte sich nicht um. Man soll nicht zurücksehen, wenn man geht.

An der Pforte wäre er fast mit einem Mädchen zusammengestoßen.

»Sorry«, sagte Jasim. Er spürte den Griff der Reisetasche in seiner Hand, und er zwang sich, an seine neue Heimat zu denken.

Lisa

Ich bin nur hingegangen wegen dieser Mathearbeit, Eh- **Lisas**
renwort. Wir haben sie gleich nach den Ferien geschrie- **Tagebuch**
ben, und ich hatte so ein gutes Gefühl. Aber Fühlen ist *8. April*
nicht Wissen, das hat sich wieder mal gezeigt.
»Ach, Scheiße«, hat Birte gesagt, als sie beim Austeilen
die Fünf unter meiner Arbeit sah. Sie hat richtig mitleidig
ausgesehen dabei.
Auf dem Weg nach Hause habe ich beschlossen, Mom
und Dad reinen Wein einzuschenken. Natürlich wissen
sie, daß es schlecht um mich steht, aber wie schlecht, davon haben sie keine Ahnung.
Als ich die Tür aufschloß, merkte ich schon, daß keiner
zu Hause war. Es gibt so eine besondere Art Stille in lee-
ren Häusern.
»Mom?« habe ich gerufen. »Hallo, Mom?«
Aber niemand hat geantwortet, und dann lag da auf dem
Küchentisch ein Zettel, daß Mom in der Zeitung eine An-
zeige entdeckt hätte, Räumungsverkauf in einem großen
Einrichtungshaus, und das wollte sie sich nicht entgehen
lassen. Das Essen konnte ich mir aufwärmen.
Ich ging in mein Zimmer und nahm die Briefe aus F. aus
der Schreibtischschublade. So sehr viele waren es gar
nicht, und die meisten waren von Tina.
»Okay«, sagte ich und beschloß, sie nicht wegzuwerfen.
Dies hier war schließlich kein Fernsehfilm mit Weich-
zeichner. Und damit gleich alles abgehakt war, legte ich
mir auch noch »Suzanne« auf. So am Nachmittag und
wenn man dabei am Schreibtisch saß, war es eigentlich
gar kein so aufregender Song. Gut schon, kitschig war er

nicht, da hatte Mom unrecht. Aber auch nicht so weltbe-
wegend aufregend.
Ich legte die Briefe in die Schublade zurück. Das Fest fing
um vier Uhr an, und ich konnte genausogut hingehen.
Draußen war es sonnig, und ich konnte meinen Mantel
zum ersten Mal offenlassen. Vor der Pforte wäre ich fast
mit einem Ausländer zusammengestoßen, der eine Reisetasche in der Hand trug. Er sah verwirrt aus und gleichzeitig so, als hätte er es eilig.
»Sorry«, sagte der Mann.
»Macht nichts«, sagte ich und ging den Sandweg entlang
auf das Haus zu. Von drinnen hörte man laute Musik.
Sie feierten in einer Art Eingangshalle. Der Raum war
nicht sehr groß, und darum war es drängelig und voll.
Obwohl so sehr viele Menschen wohl nicht gekommen
waren.
Die Musik hatte einen Rhythmus, der direkt in die Beine
ging, und ich fragte mich, wie Theo mit seiner Leiden-
schaft für Barockes das wohl ertrug. An den Wänden
standen Tische mit Informationsmaterial und Tische mit
ausländischen Spezialitäten, die man probieren konnte,
und ziemlich in der Mitte stand eine ältere Frau und
schenkte Punsch aus.
»Frau Kröger!« sagte ich.
»Ach, guten Tag, Sylvia«, sagte Frau Kröger. Ich war ihr
nicht böse. Schließlich hatte sie mich überhaupt noch
nicht richtig kennenlernen können. »Wie schön, daß du
auch gekommen bist! Aus unserer Straße sind nicht viele
da. Kommen deine Eltern auch noch?«
Ich schüttelte den Kopf. »Nee, glaub ich nicht«, sagte ich.
Eine Afrikanerin mit den fantastischsten Zöpfen der
Welt stellte sich dazu und zeigte auf den Punschtopf.

»Saft?« fragte sie und lachte.

Frau Kröger nickte ernsthaft. »Probieren Sie doch mal«, sagte sie und hatte schon eingeschenkt.

Am Tisch daneben standen eine schwarze und eine weiße Frau mit vier kleinen Kindern und hielten Ausschau nach weiteren Müttern. Auf den Blättern, die sie auf dem Tisch ausgelegt hatten, stand, daß sie eine gemeinsame Spielgruppe organisieren wollten für deutsche und ausländische Mütter mit Kleinkindern, und ein kleiner dikker schwarzer Junge trampelte wütend mit den Füßen und versuchte, die Blätter herunterzufegen.

»Langweilig«, sagte die Mutter entschuldigend, und ich nickte und ging weiter.

Ich ließ mich durch das Gedrängel zur Treppe schieben und stieg ein paar Stufen nach oben. Dann setzte ich mich hin.

Unter mir schoben und drängelten sie weiter, die Musik war zu laut eingestellt, und ein paar Leute versuchten, sich schreiend zu unterhalten. Bei einigen Gesichtern war ich mir nicht sicher, ob ich sie nicht in unserer Gegend schon mal gesehen hatte, beim Einkaufen vielleicht oder beim Warten auf den Bus. Sie aßen merkwürdig aussehende Teigtaschen und Frikadellen, und in der Nähe vom Eingang stand eine Gruppe von Oberstufenschülern aus unserer Schule und diskutierte wild gestikulierend mit einem Mann im Anzug.

Einen Augenblick dachte ich an Dad, dem das hier bestimmt gefallen hätte. Da tippte mir jemand von hinten auf die Schulter.

»Ißt du gar nichts?« fragte Elisabeth.

Ich nickte und stand auf. »Doch, unbedingt«, sagte ich. »Hallo, Elisabeth.«

Kirsten Boie

„Kirsten Boie beschreibt in ihren Büchern alltägliche Menschen, beschreibt diese – Kinder wie Erwachsene – so glaubwürdig und einfühlsam, daß sie Gestalt annehmen, subjektive, eigenständige Züge bekommen, die sie zu nicht alltäglichen Menschen machen." Aus einem Artikel über Kirsten Boie von Prof. Dr. Horst Heidtmann, Fachhochschule für Bibliothekswesen, Stuttgart.

Die Bücher von Kirsten Boie:

Heinzler mögen saure Gurken

Mit Jakob wurde alles anders

Jenny ist meistens schön friedlich

King-Kong, das Geheimschwein

King-Kong, das Reiseschwein

Lisas Geschichte, Jasims Geschichte

Manchmal ist Jonas ein Löwe

Mellin, die dem Drachen befiehlt

Opa steht auf rosa Shorts

Paule ist ein Glücksgriff

Entschuldigung, flüsterte der Riese
(Bilderbuch. Bilder: Silke Brix-Henker)

Verlag Friedrich Oetinger · Hamburg